Chère lectrice,

Lundi matin, une voisine a sonné à ma po...
accompagnée de sa petite fille, une jolie petite coquine tout
sourires qui tenait à la main un brin de muguet : « Pour toi »,
m'a-t-elle dit en me tendant la fleur de sa main potelée. Cet
instant ensoleillé a accompagné toute ma journée… Sans doute
avez-vous reçu, vous aussi, quelques-unes de ces clochettes dont
l'éclosion marque le retour du mois de mai. A travers elles, ce
sont de très, très anciennes traditions qui arrivent jusqu'à nous.
Car, de mémoire de marin grec, dès l'Antiquité le mois de mai
a été fêté : mois du renouveau, des promesses de bonheur, il
marquait le moment où les navigateurs reprenaient la mer. Le
Moyen Age en fit le mois des « accordailles ». C'est là que
nous retrouvons le muguet — car l'amoureux en accrochait à
la porte de sa bien-aimée. Ainsi s'installa la tradition, encore
prisée de nos jours, d'offrir de ces fleurs odorantes à ceux
que l'on aime pour nous souhaiter du bonheur ensemble… Et
comme il ne m'était pas possible de vous en envoyer, chère
lectrice, je vous en ai raconté l'histoire !

La responsable de collection

Retour à Maple Hill

MURIEL JENSEN

Retour à Maple Hill

ÉMOTIONS

_____

*éditions*Harlequin

Cet ouvrage a été publié en langue anglaise
sous le titre :
MAN WITH A MISSION

Traduction française de
JULIETTE BOUCHERY

HARLEQUIN®

est une marque déposée du Groupe Harlequin
et Émotions® est une marque déposée d'Harlequin S.A.

Photos de couverture
Couple : © DAVID P. HALL / MASTERFILE
Paysage : © DAVID NOTON / GETTY IMAGES

Toute représentation ou reproduction, par quelque procédé que ce soit, constituerait une contrefaçon sanctionnée par les articles 425 et suivants du Code pénal.
© 2002, Muriel Jensen. © 2006, Traduction française : Harlequin S.A.
83-85, boulevard Vincent-Auriol, 75013 PARIS — Tél. : 01 42 16 63 63
Service Lectrices — Tél. : 01 45 82 47 47
ISBN 2-280-07969-0 — ISSN 1768-773X

1.

Harry Whitcomb s'engagea à reculons dans l'escalier. Sa sœur Haley et son beau-frère Bart étaient venus l'aider à déménager ses bureaux, et le moment était venu de descendre la pièce maîtresse : une grande et lourde table de chêne derrière laquelle il s'installait quand, par extraordinaire, il s'attardait au siège de son entreprise. Bart souleva l'autre extrémité et ils entamèrent la descente.

— Qui a eu l'idée de déménager ? se plaignit Bart. Et pourquoi tous tes meubles sont-ils en chêne ? Tu n'as jamais entendu parler du plastique ? C'est léger, facile à nettoyer…

— C'est moi qui ai eu l'idée ! rétorqua Haley qui fermait la marche, chargée d'une chaise de bureau. Si Harry compte répondre aux appels d'offres de la municipalité, il vaut mieux qu'il soit sur place, dans l'un des nouveaux bureaux aménagés dans le sous-sol de la mairie, plutôt que dans un vieux moulin industriel pourri, à deux kilomètres de la ville !

— Non, c'était mon idée, protesta Harry, le souffle court.

— C'est moi qui t'ai appris que la mairie avait décidé de louer le sous-sol, insista sa petite sœur.

— Evelyn Bissett avait déjà téléphoné pour m'en parler.

— Je vois ! Si c'est la secrétaire de Jackie qui t'en parle…

Harry refusa de se laisser entraîner sur ce terrain miné. Sa sœur avait une façon bien à elle d'amener Jackie Boullois dans la conversation dès qu'elle le pouvait…

Grand bien lui fasse ! Pour lui, tout était clair : il n'oubliait pas, il ne pardonnait pas, et il refusait de parler d'elle. Il était regrettable qu'elle soit actuellement maire de leur petite ville, mais même en s'installant au sous-sol de la mairie, il ne risquait guère de la croiser. Sur le plan professionnel, il aurait affaire à l'adjoint chargé des chantiers publics.

— Harry, grogna Bart, laisse la gloire à Haley. Comme cela, au moins, tu auras la paix et si jamais tu regrettes d'avoir quitté Chandler's Mill pour t'installer à la mairie, ce sera sa faute. Il y a des coupures de courant tous les jours là-bas…

Enfin, la dernière marche ! Se retournant à demi, Harry vit qu'il fallait basculer la table pour qu'elle puisse sortir par la porte. Dans un nouvel effort, ils firent basculer le meuble massif sur le flanc et il sortit le premier, marchant en crabe pour aider Bart à faire passer les pieds de son côté.

Le froid le saisit dès qu'il franchit la porte. Au Massachusetts, le mois de mars n'est pas encore le printemps ! Pour cet enfant du pays revenu depuis peu de Floride, ces flocons tourbillonnant sous un ciel de plomb n'avaient rien de décourageant. Ce froid tonique lui avait manqué dans la tiédeur moite de la péninsule !

Ils se dirigèrent vers la camionnette vert sombre qu'il venait d'acheter quelques semaines auparavant, leurs pas faisant craquer la croûte de vieille neige.

— Tu es sûr que la table entre là-dedans ? demanda Bart, haletant.

— J'ai mesuré.

Le ton de Harry était sans réplique. Il vérifiait et revérifiait toujours les détails d'un projet, une manie contractée dans sa carrière d'ingénieur à la Nasa qu'il venait de quitter. Il posa la table, grimpa à l'arrière de la camionnette et se pencha à l'extérieur pour l'empoigner de nouveau. Ce véhicule utilitaire n'avait pas de sièges à l'arrière ; il put donc reculer vers la banquette avant, tandis que Bart soutenait la table et la poussait vers lui.

Cela entrait tout juste. Satisfait, Bart prit le siège des mains de Haley et le glissa sous la table.

— Il reste encore de la place en dessous, tu veux qu'on remonte chercher tes dossiers ? proposa-t-il.

Sautant à terre par la portière du passager, Harry les rejoignit à l'arrière.

— Non, je les prendrai demain, décida-t-il. Je dois faire un tri d'abord. Vous êtes libres de retourner à vos occupations ! On se retrouve à 19 heures à l'Auberge Yankee pour dîner, ça vous va ?

— Tu n'es pas obligé de nous sortir, protesta Haley. On t'aurait donné un coup de main sans ça !

Harry contempla sa sœur en souriant. En jean et anorak, ses cheveux sombres tressés dans le dos, ses joues rosies par l'effort et le froid, on lui aurait donné quatorze ans. Le bras de Bart entourait ses épaules. Qui aurait cru que, en envoyant son meilleur ami récupérer sa sœur au poste de police, il aurait fait leur bonheur à tous deux ?

Haley, journaliste téméraire, s'était retrouvée derrière les barreaux pour avoir accusé d'escroquerie l'ancien maire de Maple Hill. Harry ne pouvait pas venir l'en sortir à cause d'une panne grave du système de guidage d'une navette en orbite, il avait donc demandé à Bart de s'en occuper. Résultat : une idylle était née !

Et depuis sa sœur était redevenue une jeune femme confiante, un sentiment qu'elle avait perdu cinq ans plus tôt, lors d'une nuit terrible, où son fiancé de l'époque et elle avaient été agressés par des voyous. Ayant réussi à se dégager, le fiancé s'était enfui en abandonnant Haley à son sort. Par miracle, un policier en congé était intervenu à temps pour la sauver, mais depuis elle n'avait plus fait confiance aux hommes. Cette confiance, Bart la lui avait rendue, Harry la lisait dans ses yeux quand elle regardait celui qui était devenu son mari. Mais il y avait plus que de la confiance dans ses yeux, il y avait aussi une passion brûlante que Harry lui enviait !

Il n'avait personne dans sa vie, et cet état de fait comptait pour beaucoup dans sa décision de rentrer à Maple Hill. La Nasa l'avait recruté dès sa sortie de l'université de Californie du Sud, et il venait de passer quatorze années passionnantes à la pointe de la recherche spatiale. Lors de la fameuse panne, six mois auparavant, son équipe était parvenue à ramener au bercail la navette et son équipage au bout de soixante-dix heures de travail acharné… Il s'était alors aperçu qu'il n'avait personne avec qui fêter la victoire autrement que de manière superficielle par un verre de champagne, mais de manière intime, complice. Ce n'était possible ni chez les copains avec qui il faisait la fête ni chez les copines qui partageaient parfois son lit. A une époque, il appelait cela la liberté, aujourd'hui, il savait que ce n'était que de la solitude.

Personne dans son entourage ne savait que les avertissements de son père le harcelaient encore. « Tu n'es pas aussi calé que tu le crois. Tu échoueras, comme tout le monde. Mais toi, avec ton arrogance, tu tomberas de haut. » Personne ne savait qu'il devait lutter chaque jour pour échapper à ces paroles, personne ne devinait le soulagement qu'il ressentait chaque fois qu'il parvenait à les démentir.

Par chance, il avait toujours été très bricoleur. Au lycée déjà, il travaillait avec un électricien pendant son temps libre. Ce talent, qui devait l'aider à payer ses études, lui avait fourni également une porte de sortie.

En décidant de changer de carrière, il n'avait eu qu'à valider son expérience et, aujourd'hui, ce hobby était devenu son gagne-pain.

— J'ai envie de vous inviter, insista-t-il. Je n'aurais jamais réussi à déménager en une demi-journée sans vous.

— Comment comptes-tu décharger ça à la mairie ? demanda Bart en désignant la table.

— Maman est là-bas, répartit Haley avec un sourire entendu. Elle n'aura qu'à ordonner à la table de filer à sa place et elle filera doux, comme tout le monde.

Bart éclata de rire.

— Je vois ça d'ici. Mais au cas où ça ne marcherait pas ?

— Trent a promis de passer me donner un coup de main, répondit Harry.

— Trent ?

— Cameron Trent, le plombier que j'ai embauché hier.

— Et pourquoi rejoint-il ta bande d'artisans à mi-temps ?

— Il étudie la gestion à Amherst et il ne veut pas s'arrêter de travailler. Il trouve les cours trop intellos et il dit que s'il ne s'active pas un peu manuellement, il va grimper aux rideaux.

— Tu es bien sûr que tu ne veux pas que je fasse un papier sur les Gars de Whitcomb ? demanda Haley. Vous êtes un sujet formidable, et ce serait une bonne publicité pour vous. Mes lecteurs seraient contents de connaître l'existence d'un service de dépannage, tous corps de métiers, sur un simple coup de fil. Combien êtes-vous maintenant ?

— Sept.

Ce n'était pas la première fois que sa petite sœur lui proposait d'écrire un article sur son entreprise. Lui-même était assez surpris par le succès de son idée. Il venait seulement de lancer l'entreprise, fin septembre ; à Noël, il avait déjà cinq artisans très compétents, enchantés de pouvoir travailler à la demande tout en suivant d'autres objectifs, s'occuper de leurs enfants ou poursuivre leurs études. Evan Braga, un peintre en bâtiment, venait de les rejoindre en janvier et avec Cameron Trent, ils avaient désormais un plombier pour compléter l'équipe.

— Je doute que mes gars tiennent à faire parler d'eux.

— Les filles aiment les garçons dont on parle dans le journal…, insinua Haley.

Harry leva les yeux au ciel et se tourna vers Bart pour le prendre à témoin.

— Mais pourquoi croient-elles toutes qu'on ne pense qu'à elles ?

— Parce que nous passons tant de temps et d'énergie à essayer de comprendre ce qu'elles veulent, opina son beau-frère.

Haley lança à son mari un coup de coude dans les côtes.

— Mais je n'arrête pas de te l'expliquer ! Une attention de tous les instants et des bijoux très chers !

A voir le diamant à son doigt, Bart avait dû capter le message. A moins qu'il ait voulu lui affirmer de manière tangible l'amour qu'il lui portait ?

Réprimant un soupir d'envie, Harry grimpa dans sa camionnette.

— Merci pour la proposition, frangine. Je m'offrirai plutôt une publicité dans le journal pour annoncer l'ouverture de mes nouveaux bureaux.

— Si c'est une publicité, je te l'offre, dit-elle en l'embrassant. Une demi-page en face des programmes télé, pour qu'on la voie tous les jours. Réfléchis à ce que tu veux y mettre. Une photo de groupe serait bien. Inutile d'entrer dans les détails personnels, il suffit de montrer que vous avez de bonnes têtes.

— Bonne idée. Je demanderai aux autres ce qu'ils en pensent.

Serrant la main de Bart, il conclut :

— A tout à l'heure, alors. Vous êtes sûrs que vous ne préférez pas dîner au Vieux Relais ? Le menu est plus sophistiqué qu'à l'Auberge.

Bart ouvrait la bouche pour répondre quand Haley le devança :

— Non, le Yankee, c'est parfait. Ça fait trop longtemps que je n'ai pas goûté à leur pot-au-feu.

Les deux hommes échangèrent un sourire en coin. Ils savaient exactement où Haley voulait en venir : elle cherchait à orchestrer une rencontre entre Jackie et son frère. L'Auberge Yankee appartenait à la famille de Jackie Boullois depuis des générations. Et, depuis la retraite de son père deux ans auparavant, elle était la gérante.

— Bien ! Le Yankee, alors ! conclut-il d'un ton enjoué.

Quoi que sa sœur invente, il continuerait à faire comme s'il ne remarquait rien. Elle pouvait toujours rêver à un rapprochement entre lui et sa meilleure amie ; de son côté, il ferait son possible pour éviter de croiser Jackie. Elle lui avait tout de même brisé le cœur, bien des années auparavant, et ce souvenir le tourmentait encore. S'il ne pouvait rien changer au passé, il ne lui ferait pas le plaisir de trahir la moindre émotion en sa présence. Il ne ferait pas un geste vers elle.

Il l'avait vue deux fois depuis son retour. D'abord dans la salle d'attente du dentiste, il repartait au moment où elle arrivait, suivie de deux petites filles qui n'en menaient pas large. Il connaissait leur prénom et leur âge grâce à sa mère qui avait tenu, elle aussi, à le mettre au courant : Erica avait dix ans et Rachel six.

La seconde fois, c'était à l'école primaire. Il changeait l'un des interrupteurs de la cantine quand elle était entrée, bavardant gaiement avec d'autres mamans qui apportaient des gâteaux pour fêter la rentrée. Il avait levé la tête, saisi d'entendre ce rire surgi du passé. En dix-sept ans, elle avait changé et mûri, mais ce rire frais et communicatif restait égal à lui-même.

Elle était enceinte, avec un ventre énorme, des joues plus rondes que dans son souvenir — mais ses cheveux d'or étaient toujours aussi beaux, sa peau toujours aussi délicate, une porcelaine blanche ombrée de rose. Leurs regards s'étaient croisés et, instantanément, elle avait pivoté sur elle-même pour disparaître dans la cuisine.

Si elle se trouvait au Yankee ce soir, elle tiendrait autant que lui à éviter une rencontre. De toute façon, il ne ressentait plus rien pour la femme qui l'avait aimé comme s'il était tout son univers, et qui subitement, sans aucune explication, s'était refusée à partager sa vie avec lui.

Réconforté par cette pensée, il roula vers le centre de Maple Hill. Comme il se sentait bien dans sa ville natale ! Après une aussi longue absence, il ne s'attendait pas à ce que le retour soit aussi facile. Sans la présence dérangeante de Jackie, tout serait parfait. Il y avait ici tant de braves gens qu'il connaissait depuis toujours, et la ville elle-même était si jolie avec ses maisons anciennes amoureusement préservées qui attiraient les touristes, ses anciennes granges abritant des commerces et ses auberges d'époque. Ici et là, on voyait encore de vieux pavés, et les réverbères rappelaient les becs de gaz de Londres au XIXe siècle. Mais si on sentait partout la présence du passé, le temps ne s'était pas arrêté pour autant : dans les petites boutiques aux vitres serties de plomb, on pouvait trouver un excellent cappuccino, du matériel informatique de pointe et des fringues branchées.

Harry se gara sur le parking de la mairie, agréablement surpris de trouver une place libre. L'emplacement voisin était occupé par un monospace rouge ; en émergeant de sa camionnette, il vit le panneau « Réservé au maire ».

Il en fut agacé. Pourquoi fallait-il que la pensée de Jackie vienne troubler des réflexions aussi agréables ? Très vite, il retrouva toute sa philosophie. S'il voulait installer son entreprise au sous-sol de la mairie, il devrait bien s'habituer à la savoir toute proche. Sans doute ne serait-il pas conduit à traiter directement avec elle, mais il ne pourrait éviter de la croiser de temps en temps…

Le plus simple serait d'en finir tout de suite, pensa Jackie Boullois en posant une main apaisante sur le bébé qui faisait des galipettes dans son ventre. Elle ferait ça avec une overdose de glace Dulce de Leche de Häagen-Dazs, plusieurs cafetières de vrai café et deux ou trois bouteilles de champagne Perrier-Jouët. Tous les délices qui lui étaient interdits depuis qu'elle avait appris qu'elle attendait un enfant.

Non, elle ne pouvait pas décrocher tout de suite. Elle était obligée d'attendre que le bébé soit capable de se débrouiller seul. Qu'il parte faire ses études. Quand le bébé aurait dix-huit ans, Erica et Rachel seraient probablement mariées, elles pourraient le prendre chez elles pendant les vacances. On ne la regretterait même pas : ses filles étaient déjà convaincues que le seul but de leur mère dans l'existence était de les contrarier.

Quant à son propre père, il avait sa vie ailleurs, et sa famille comptait moins à ses yeux depuis la mort de la mère de Jackie, plusieurs années auparavant. Il vivait à Miami et oubliait fréquemment de donner de ses nouvelles.

Si elle disparaissait, elle ferait même des heureux, ses adjoints par exemple : deux d'entre eux seraient enchantés de ne plus l'avoir sous le nez ! Toujours à la recherche de prétextes pour l'attaquer, ils lui en voulaient actuellement d'avoir loué les locaux du sous-sol, un geste qu'ils qualifiaient de « capitaliste », contraire à la dignité du gouvernement municipal.

Accrochée à la rampe, elle descendit avec précaution les marches menant au sous-sol. Une petite visite aux nouveaux locataires s'imposait — et pendant ce temps au moins, elle éviterait ses adjoints qui fulminaient dans les étages.

La mairie était installée dans une vieille demeure bâtie après la guerre d'Indépendance par Robert Boullois, un ancêtre de son défunt mari. Les bureaux de l'administration étaient au rez-de-chaussée, le bureau du maire et les salles de réunion à l'étage, et les réceptions se tenaient dans l'ancienne salle de bal. L'année précédente, un ouragan avait inondé le sous-sol, obligeant la municipalité à le refaire entièrement. Jackie et Will Dancer, l'urbaniste de Maple Hill, avaient imaginé d'y créer des bureaux. Le rez-de-chaussée étant surélevé, les pièces disposaient d'une entrée indépendante et de fenêtres en hauteur. Louer ce niveau à des entreprises permettrait de financer les réparations dont avait tellement besoin la vieille bâtisse. Le service de Will s'était chargé des formalités et Jackie ne connaissait pas encore les locataires.

Elle passa la tête par la porte du premier local et découvrit un fouillis surprenant. Une sorte de table d'examen comme on en voit chez les médecins, un siège bizarre, un meuble de classement couleur lavande et plusieurs chaises recouvertes de brocart s'entassaient au centre de la pièce. Des cartons empilés à même le sol contenaient des dossiers, et plusieurs paysages encadrés reposaient contre le mur.

— Bonjour !

Le salut, lancé d'une voix pointue, la fit sursauter. Se retournant, elle découvrit une grande femme mince, plus âgée qu'elle de quelques années, vêtue d'un caleçon et d'un T-shirt à manches longues couleur lavande. Elle portait des sandales malgré le froid, et un large foulard violet encerclait ses cheveux couleur carotte, retenu sur la tempe gauche par un nœud énorme.

— Madame le maire ! s'écria l'inconnue.

Le souffle court, elle lui tendit la main sous le grand carton qu'elle apportait par l'entrée latérale.

— Je suis contente de vous connaître ! Parker Peterson.

Elle déposa son carton sur le sol, posa une main sur sa hanche, fit bouffer son nœud de l'autre et s'exclama :

— C'est une opportunité merveilleuse de pouvoir m'installer ici ! Les bureaux du centre sont tout autour de nous, et les malheureux travailleurs en col blanc stressés sont la base de ma clientèle. Sans compter les tensions que peuvent éprouver les employés de la commune !

Un peu inquiète, Jackie jeta un coup d'œil au lit curieux, au siège bizarre et au style vestimentaire flamboyant de la nouvelle locataire.

— Je... Quel est votre métier, madame Peterson ?

— Thérapie par le massage !

Elle tapota le haut du curieux siège.

— Tenez, asseyez-vous et posez la tête ici. Il faut vous tourner face au siège, et appuyer vos genoux ici.

— Je ne suis pas très athlétique en ce moment, murmura Jackie en tapotant son ventre.

— Ce n'est pas difficile. Je vais vous aider.

Sans façon, elle prit le bras de Jackie et la soutint, lui

montrant comment passer le pied de l'autre côté de l'étrange tabouret rembourré. Jackie aurait bien protesté... mais sans cesser de parler, la jeune femme venait de presser un point au niveau de ses reins, à l'endroit précis où le poids du bébé tirait à longueur de journée. Un soulagement instantané fit fondre toutes ses réticences.

— Nous allons devoir relâcher un peu ce dos, commenta Parker Peterson. C'est cela. Vous sentez ? Il faut éviter ces tensions ou bien vous souffrirez jusqu'au jour de l'accouchement. Encore deux semaines ?

— Plutôt six !

Le front reposant sur ses bras, Jackie parlait d'une voix rêveuse, stupéfaite de s'abandonner si facilement entre les mains de cette femme un peu bizarre rencontrée deux minutes auparavant.

En temps ordinaire, elle était très consciente qu'elle se devait d'être digne, vis-à-vis de sa fonction de maire d'abord, parce que, avec des adjoints qui cherchaient perpétuellement des raisons de la critiquer, elle ne pouvait pas se permettre le moindre faux pas ! Et ensuite parce que son mari défunt l'avait laissée dans une position peu enviable : celle de devoir prétendre que si, après lui avoir juré de ne plus penser qu'à leur mariage et à leurs filles — sa grossesse actuelle était le fruit de cette brève réconciliation —, il était mort dans les bras d'une hôtesse de bar, c'était moins une humiliation pour elle qu'une insulte qu'il faisait à son propre souvenir.

Le bébé s'étira, comme si lui aussi appréciait le massage. Les mains magiques remontèrent le long de son dos, à la fois fermes et très douces.

— Il vaut mieux que vous arrêtiez, soupira-t-elle d'une voix étouffée par le coussin. J'ai une réunion dans un quart d'heure, et si vous continuez, il faudra m'y emmener sur un brancard.

Mme Peterson gloussa, sans cesser pour autant de lui pétrir les épaules.

— Il faudra venir me voir chaque fois que vous aurez besoin de décompresser. Je travaille bien, mes tarifs sont raisonnables et je ferai un prix à tous ceux qui travaillent sous ce toit. Je compte ouvrir de 8 à 18 heures.

Elle aida Jackie à se remettre sur pied.

— Voilà. Ce n'est pas mieux comme ça ?

Mieux ? C'était génial ! Elle avait l'impression que son ventre pesait dix kilos de moins.

— Surveillez votre posture, lui conseilla sa bienfaitrice. Vous avez un mari qui pourrait vous masser les pieds le soir ?

— Si seulement !

C'était sorti tout seul. Pourtant, elle ne le pensait pas vraiment. Elle ne regrettait absolument pas l'absence d'un homme dans sa vie ! Si des massages de pieds seraient très agréables, ils ne suffiraient pas à compenser les détresses quotidiennes d'une vie de couple.

— Alors, vous faites ce bébé toute seule ?

Cette femme devait être nouvelle en ville si personne ne l'avait déjà mise au parfum !

— Je suis devenue veuve au tout début de ma grossesse, expliqua-t-elle brièvement. Mais c'est mon troisième, je sais à quoi m'attendre.

— Trois ? répéta Parker avec une petite grimace nostalgique. C'est drôle : je sais tout sur les grossesses, ce qu'il faut manger, quels exercices faire, comment masser pour soulager la tension, mais je n'ai jamais pu faire l'expérience moi-même. J'ai eu deux maris, mais pas de bébé.

— Je suis désolée.

Que dire d'autre ? Si les maris ne valaient pas toujours la peine que l'on se donnait pour eux, les enfants procuraient beaucoup de joies.

— Je vous présenterai mes filles, ajouta-t-elle avec un sourire. Vous déciderez peut-être alors que vous vous en tirez à bon compte.

La thérapeute l'accompagna à la porte.

Avec une certaine gêne, Jackie énonça :

— Mon sac est là-haut, dans mon bureau…

— Oh, vous ne me devez rien, c'était juste un échantillon ! Si ça vous a fait du bien, parlez-en autour de vous ! Je passe une publicité dans le *Mirror*, mais elle ne paraîtra que jeudi prochain.

— Merci ! Je dirai beaucoup de bien de vous, je me sens toute légère. Bonne installation ! Si vous avez le moindre souci avec le chauffage ou la plomberie, tenez-nous au courant.

Agitant cordialement la main, Parker retourna dans son nouveau local, sans doute pour achever son emménagement.

Jackie suivit le couloir dans l'autre sens, passant devant deux locaux sombres et vides. Elle étira ses épaules avec volupté, savourant leur liberté inhabituelle. Elle devrait absolument trouver moyen de caser un massage quotidien dans son emploi du temps surchargé.

Tournant l'angle du couloir principal, elle s'engagea dans le petit boyau menant au dernier bureau. Un endroit plutôt sombre, nota-t-elle ; elle demanderait qu'on installe un plafonnier. Jetant un coup d'œil dans l'unique bureau de ce côté du bâtiment, elle fut stupéfaite de découvrir une personne au centre de la pièce qui promenait un regard satisfait à la ronde. Cheveux gris, coupe courte et moderne…

— Adeline ! s'écria-t-elle en lui ouvrant les bras. Que faites-vous ici ?

Adeline Whitcomb, autrefois la meilleure amie de sa mère, aujourd'hui chargée du groupe d'Ecole du dimanche que fréquentaient ses filles.

— Jackie ! Je n'ai pas eu l'occasion de te dire que j'emménageais à la mairie… Comment vas-tu ?

Surprise, la jeune femme regarda autour d'elle. Un meuble de classement, un plan de l'agglomération sur un mur, une carte détaillée du comté sur l'autre… Un petit coin détente avec machine à café et boîte de la pâtisserie locale, et un grand cadre pour faire du patchwork.

— Vous montez votre affaire ? demanda-t-elle. Je sais que votre talent au patchwork est légendaire…

— Trop de gens ont creusé leur tombe en cherchant à rentabiliser le patchwork, se récria Adeline.

Jackie fut stupéfaite de voir que cette amie, franche au point de manquer parfois de délicatesse, semblait éprouver quelque difficulté à la regarder en face.

Une horrible prémonition s'empara d'elle.

— C'est le bureau de Harry ?

Adeline soupira, puis se décida enfin à lui sourire. Elle semblait avoir recouvré tout son aplomb.

— Oui, dit-elle. Le cadre de patchwork est là pour occuper mes loisirs, si j'en ai. Je vais assurer le standard, prendre les appels et organiser le planning de tous les Gars.

— Tous les gars ? répéta Jackie. Harry a des associés ?

— Tu n'es pas au courant ? Les Gars de Whitcomb ?

Elle entreprit de lui expliquer le principe de cette permanence d'artisans imaginée par Harry. Sans doute lui en avait-on déjà parlé mais elle n'avait pas écouté : elle devenait sourde dès qu'elle entendait prononcer son nom.

Harry à la mairie ? Il ne manquait plus que cela !

— Cela fait des mois qu'il est de retour, la sermonna Adeline. Il serait temps que vous cessiez de faire chacun comme si l'autre n'existait pas.

Jackie sentait qu'elle était en train de perdre déjà la légèreté ressentie après le massage de Parker Peterson, et de retrouver le sentiment familier d'évoluer dans un univers hostile, rempli de chausse-trapes.

Faisant volte-face, elle se dirigea vers la porte. Elle éviterait autant que possible de faire de la peine à Adeline, mais elle ne voulait pas croiser Harry ! Toujours diplomate, elle dit pourtant :

— C'est fantastique de vous avoir ici. Nous pourrons nous voir plus souvent, sortir boire un café ou déjeuner ensemble.

— Vous allez travailler sous le même toit ! Il faudra bien vous décider un jour à régler votre problème, insista Adeline sans relever l'invitation.

— Il n'y a pas de problème, Adeline.

Elle s'étira discrètement, les mains plaquées sur ses reins qui s'étaient noués dès qu'elle avait pensé à Harry.

— Nous préférons nous ignorer, dit-elle fermement. Nous ne voulons ni nous souvenir du passé, ni nous rencontrer au présent.

— Vous devriez pouvoir vous pardonner de vous être comportés en enfants. Voilà tout ce que vous étiez, des enfants !

Très vite, Jackie ferma les yeux pour chasser les images qui tentaient de se former sous ses paupières. Ces actes qu'Adeline trouvait si puérils avaient eu des conséquences qu'elle n'imaginait pas. Elle franchit la porte et se retourna en se forçant à sourire.

— Je voulais juste vous souhaiter la bienvenue dans vos nouveaux locaux. S'il y a le moindre problème, il faut nous le faire savoir.

La mère de Harry eut un petit sourire découragé.

— Oui, Jackie, bien sûr. Merci.

Jackie était pressée maintenant de remonter dans les étages. Si Harry Whitcomb y occupait un local, le sous-sol ne serait plus un refuge quand elle voudrait fuir ses adjoints. Elle émergeait du petit couloir secondaire quand elle heurta quelqu'un de plein fouet. La pénombre l'empêchait de distinguer son visage, mais elle sut de qui il s'agissait avant même de sentir ses grandes mains la saisir aux bras pour la soutenir.

Cette journée pouvait-elle encore empirer ?

Respirant à fond, elle se drapa dans sa dignité de maire et dit calmement :

— Bonjour, Harry.

2.

Harry sut qui il venait de heurter avant même d'entendre le son de sa voix. Elle ne portait plus le même parfum, mais il se souvenait encore de l'odeur de son shampooing. Quand les cheveux blond-roux fouettèrent son visage, une fragrance de pêche et de noix de coco inonda ses sens et les souvenirs qu'il s'efforçait de refouler depuis dix-sept ans déferlèrent en lui.

Il la revit, mince et nue dans ses bras, ses yeux gris pleins d'amour levés vers les siens. Il la vit éclater de rire, éblouissante de joie, et aussi pleurer, noyée dans une détresse contre laquelle il blindait son cœur aujourd'hui.

Pourquoi ? Parce qu'elle avait pris tous leurs rêves pour les jeter aux orties.

Il sentit son ventre contre sa hanche et les souvenirs s'effacèrent devant la réalité de ce corps gonflé de femme enceinte. L'espace d'un instant, il pensa que si tout s'était passé comme prévu, ce serait son bébé qu'elle porterait là…

Il s'admonesta intérieurement : depuis le temps, il avait appris à ne pas regarder en arrière.

Reculant d'un pas, il s'assura qu'elle ne vacillait plus et la lâcha.

— Jackie ! dit-il avec un sourire.

Si elle était capable de prendre ce petit air condescendant

avec lui, il allait être amical. Pour bien lui montrer qu'il ne lui gardait pas rancune, faisant comme si leur passé commun n'avait jamais beaucoup compté.

— Comment vas-tu ? reprit-il cordialement. Je voulais te parler l'autre jour, chez le dentiste, mais tu avais l'air pressée.

Il vit qu'il l'avait décontenancée et sa confusion lui fit plaisir. Le jour de son départ de Maple Hill, elle lui avait donné le sentiment incompréhensible d'être dans son tort, semant en lui un trouble profond et durable.

C'était satisfaisant de se venger un peu. Elle croisa les bras sur son ventre puis, décidant sans doute que la pose était trop familière, les laissa retomber et reprit sa raideur de duchesse.

— Je vais bien, merci, répondit-elle. J'étais juste descendue souhaiter la bienvenue aux locataires de la mairie.

— C'est gentil. Maman doit être là, viens la voir.

Toujours souriant, il reprit son bras et tenta de l'entraîner vers le bureau. Elle se dégagea avec une certaine brusquerie, puis se maîtrisa et répondit poliment :

— Nous nous sommes déjà vues. Je lui ai dit que s'il y avait le moindre problème, il fallait nous le faire savoir.

— Je t'appelle directement ? demanda-t-il, empressé.

Il vit un éclair dans ses yeux, mais elle se contenta de répondre :

— Non. C'est Will Dancer qui s'occupe des locataires. Poste 202.

Il approuva de la tête.

— Nous avons déjà discuté tous les deux. Il faudrait refaire entièrement l'électricité du bâtiment.

— Nous n'avons pas les fonds nécessaires.

Il haussa négligemment une épaule.

— Cela réduirait de beaucoup vos frais d'assurance.

Will Dancer pense que ce serait une bonne idée, et je suis raisonnable.

A l'instant où les mots lui échappaient, il sut qu'il venait de lui tendre une perche malencontreuse. Et cela ne rata pas. La saisissant instantanément, elle lâcha :

— Tu trouves ? Je me souvenais plutôt du contraire.

Il la toisa, perplexe et irrité. C'était tout de même elle qui avait tout gâché ! Et pourquoi la souffrance qu'il lisait sur son visage avait-elle encore le pouvoir de lui faire mal ?

Quand elle tourna les talons, il la suivit sans réfléchir, déterminé à maintenir sa pose cordiale.

— Je voulais dire, expliqua-t-il calmement, que je fais du bon travail à un prix raisonnable.

— C'est effectivement ce qu'exigerait la municipalité, répliqua-t-elle, sans se retourner. *Si* nous pouvions nous permettre d'entamer des travaux. Mais, quoi qu'en pense Will Dancer, nous ne le pouvons pas.

Parvenue au pied de l'escalier, elle fit volte-face pour le regarder, les sourcils froncés.

— J'espère seulement que tu n'as pas emménagé ici dans l'espoir d'obtenir des chantiers pour la commune ?

— J'ai déjà des chantiers pour la commune, repartit-il en laissant poindre une pointe de jubilation. Will Dancer m'a demandé de remplacer les vieux plafonniers par des lampes modernes combinées à des ventilateurs. Il m'a aussi demandé un devis pour une réfection complète de l'installation électrique.

— Dans ce cas, arrange-toi pour ne pas te trouver sur mon chemin, dit-elle.

Cette fois, elle ne faisait plus semblant, sa posture était combative, son index pointé droit sur son visage. C'était assez insolite, cette menace de mafieux dans la bouche d'une jolie femme enceinte jusqu'aux yeux. Comme si elle allait envoyer ses gorilles lui briser les rotules !

Il posa le pied sur la première marche et s'accouda sur sa cuisse, une posture nonchalante faite pour masquer la colère qui montait en lui.

— Je sais que c'est probablement difficile à comprendre quand on a été la chérie de la commune depuis sa plus tendre enfance, mais tu ne contrôles pas tout. Je suis libre d'aller où je veux et si cela me place sur ton chemin, je le regrette, mais tu devras assumer.

Il la vit rougir brutalement.

— Je contrôle ce qui se passe à la mairie, rétorqua-t-elle, haletante. Et si tu te mets en travers de ma route, je peux faire écarter tes offres. Je peux m'assurer que tu ne décrocheras aucun autre chantier pour la commune.

Voilà, c'était la guerre ouverte. Un terrain familier.

— J'ai l'impression d'entendre l'ancien maire que ma sœur *et* toi avez réussi à évincer, répliqua-t-il. Celui qui était si ébloui par sa propre importance qu'il a confondu les fonds de la municipalité avec les siens. Tu te souviens de lui ? Il est toujours derrière les barreaux.

Elle poussa un soupir théâtral.

— Tu ne me verras jamais la main dans la caisse.

— Tu viens de me menacer de me priver arbitrairement de mon gagne-pain ! Je suis sûr que Haley, en journaliste responsable, s'interrogerait sur ce comportement…

La menace ne sembla pas inquiéter Jackie outre mesure.

— Ta sœur est ma meilleure amie. Je doute fort qu'elle se range dans ton camp.

— Elle est journaliste avant tout, et je suis tout de même son frère.

Cette fois, malgré tous ses efforts, elle ne put s'empêcher de sortir de ses gonds :

— Alors passe au large et ne me donne pas de raisons de me débarrasser de toi !

— Tu t'es déjà débarrassée de moi, rappela-t-il. Il y a dix-sept ans de ça.

— Qui a quitté qui ? rétorqua-t-elle d'une voix sifflante.

— Tu ne te rappelles pas ? Nous étions censés partir ensemble.

Une émotion passa dans ses yeux. Il eut beau tenter de la déchiffrer, il ne lisait plus en elle comme autrefois.

Un instant, il aurait juré avoir vu… un regret.

— Quelque chose d'inattendu…, commença-t-elle avec effort.

Il vit rouge. Sans savoir pourquoi, peut-être parce que ces paroles lui rappelaient le soir où il était parti, seul. Elle s'empêtrait dans des explications sans queue ni tête : « Réflexion faite, il vaudrait peut-être mieux que tu partes sans moi. De mon côté, je… » Il ne l'avait pas laissée achever. En fait, cela ne faisait que confirmer ses doutes car, au fond de lui, il avait toujours été sûr que quelque chose viendrait empêcher ce départ et Jackie Fortin ne serait jamais à lui.

— Ouais, c'est ce que tu as cherché à me dire la première fois, aboya-t-il. Tu t'attendais à ce que j'échoue, c'est ça ? Et tu ne voulais pas laisser ici tous tes lauriers et tes diadèmes pour te lancer dans l'inconnu avec moi.

« Un bon coup de pied dans le tibia, voilà ce qu'il lui faut ! » songea Jackie en le regardant. Ce serait un choc salutaire pour lui, et quelle satisfaction pour elle !

Manque de chance, attirées par les éclats de voix, Parker et Adeline venaient d'émerger dans le couloir, chacune à une extrémité. Quand elle prendrait enfin sa revanche, elle préférait le faire sans témoins.

Et puis, même si cela la contrariait de l'admettre, tout n'avait pas été la faute de Harry. Elle aurait dû trouver un moyen de l'obliger à l'écouter, insister pour qu'il comprenne. Seulement, elle avait très peur et très mal. Il n'était pas le seul à sentir son cœur se briser.

La fatigue s'abattit sur elle, un poids terrible qui la cloua au sol. Dire qu'elle avait encore cet escalier à grimper ! Et Harry qui lui barrait le passage…

— Je crois que tu me confonds avec ton père, dit-elle très bas, espérant qu'Adeline ne l'entendrait pas. Si tu n'as pas voulu entendre mes explications à l'époque, je doute qu'elles t'intéressent maintenant. Laisse-moi passer, et ne t'en fais pas : à l'avenir, c'est moi qui m'écarterai de ton chemin.

Un instant, il la fixa sans répondre puis, sans commentaire, il lui prit le bras et l'aida à se hisser sur la première marche. Elle vit que sa colère était retombée.

— Viens, dit-il. Je t'accompagne là-haut.

Elle aurait aimé lui dire qu'elle montait et descendait ces escaliers toute la journée, c'était le prix à payer quand on occupait un bâtiment conçu avant l'invention des ascenseurs — mais aucun mot ne sortit de sa bouche.

Soutenue par sa grande main, elle se mit à monter les marches. L'escalier n'était pas large et la présence de Harry envahissait tout l'espace. Elle sentit une oppression dans sa poitrine et s'aperçut qu'elle retenait son souffle. Le bébé, qui devait partager son malaise, lui lança subitement un coup de pied dans les côtes. Elle s'arrêta net, avec un petit sifflement de douleur. Ce bébé maîtrisait l'art de la savate aussi bien qu'un boxeur professionnel.

— Qu'est-ce que tu as ? demanda Harry, inquiet.

— Juste un coup de pied, murmura-t-elle en frottant le point douloureux.

— Assieds-toi une minute.

Sans attendre de réponse, il la saisit aux coudes ; elle se retrouva assise sur une marche.

— Tu es sûre que c'est raisonnable de travailler dans ton état ?

— Je suis enceinte, répondit-elle, un peu troublée par cette gentillesse inattendue. Ce n'est pas une infirmité. Je vais bien.

— Tu es pâle.

— Je n'y peux rien, répliqua-t-elle. Tu es très agaçant, tu sais ? C'est usant de se retenir de t'envoyer paître.

Il sourit malgré lui, sans cesser de scruter son visage.

— Gérer un hôtel et une municipalité tout en élevant deux enfants, ce serait déjà beaucoup. Alors dans ton état...

Il faisait toujours cela, au temps où ils sortaient ensemble. Au beau milieu d'une balade, d'une partie de tennis ou d'une danse, il s'arrêtait pour la regarder. S'il décelait le moindre problème, il cherchait à y remédier, par tous les moyens.

Par la suite, elle ne s'était plus jamais sentie soutenue et protégée de cette façon. Dans sa situation actuelle, avec les problèmes que rencontrait son aînée à l'école, sa benjamine qui se transformait en électron libre et sa position... assiégée en tant que maire, elle imagina un instant comment ce serait d'avoir quelqu'un qui chercherait à résoudre ses problèmes. Ou tout au moins qui l'aiderait à les porter ! Quel rêve inouï !

Elle sentit qu'elle avait momentanément baissé sa garde. Sachant qu'il percevait cet instant de faiblesse, elle attrapa la rampe et chercha à se hisser sur ses pieds. Mais le bébé était un ballast assez difficile à mettre en mouvement !

D'une main, Harry lui saisit le coude ; l'autre s'enroula à l'endroit où se serait trouvé sa taille si elle en avait eu une.

— Prête ?

Et aussi facilement que cela, elle se retrouva debout.

— Attention en te retournant.

Il la tint solidement et ne la lâcha qu'en haut des marches.

L'escalier débouchait dans un sas donnant sur l'ancienne cuisine de la vieille demeure, transformée en salle commune pour les employés municipaux. Une haute silhouette se tenait devant la porte, un inconnu qui lui tendit la main sans façon pour l'aider à franchir la dernière marche, et la salua d'un signe courtois de la tête avant de la lâcher.

— Bonjour, Harry, dit-il. Je descendais te donner un coup de main pour emménager.

Coincée entre les deux hommes, Jackie attendait de pouvoir passer.

S'inclinant avec une certaine ironie, Harry lui dit :

— Jackie, je te présente Cameron Trent, le dernier arrivé de mon équipe. Il est plombier. Cam, voici Sa Seigneurie le maire de notre bonne ville, Jackie Boullois.

Elle serra la main de Cam, appréciant la franchise de son regard noisette et son air charmant de confusion.

— Je ne sais pas comment vous appeler, dit-il. Madame le maire ?

— C'est ce qu'on me dit entre ces murs, mais Jackie ira très bien à l'extérieur. Vous n'êtes pas de Maple Hill ?

— J'arrive de San Francisco. Je suis ici pour voir la neige et pour décrocher ma maîtrise à l'université d'Amherst.

— La neige, nous en avons cinq mois par an, dit-elle avec un petit rire. Vous vous en lasserez peut-être.

— Oh, non, j'adore.

— Dans ce cas, bonne chance pour votre diplôme.

Elle se retourna vers Harry. Décidément, cette rencontre la troublait beaucoup plus qu'elle ne l'aurait souhaité… Que lui dire maintenant ?

— Bienvenue à la mairie, Harry.

Elle vit sa bouche se crisper, comme s'il devinait qu'elle n'en pensait pas un mot.

— Merci, madame le maire. Nous nous croiserons sûrement, même si je m'efforcerai de ne pas vous… déranger.

Elle lui lança un bref regard furieux, sourit à Cameron Trent, et poussa la porte qui menait aux bureaux.

— Jolie femme, dit Cameron en descendant derrière Harry. Sale histoire pour son mari.

Harry se retourna, surpris qu'un nouveau-venu soit déjà au courant des frasques de Ricky Boullois.

— Je suis venu en juillet pour trouver un logement, au moment où le journal annonçait sa mort, expliqua Cam en haussant les épaules. L'article disait qu'il descendait d'une des plus vieilles familles de Maple Hill.

Harry avait lu cet article qui racontait que Boullois était mort lors d'un déplacement à Boston, foudroyé par une crise cardiaque. C'était uniquement en revenant s'installer ici qu'il avait découvert les dessous de l'histoire.

— Cette femme a beaucoup de classe, il était bien bête de ne pas savoir l'apprécier, enchaîna Cameron.

Elle avait effectivement de la classe, malgré son sale caractère et sa manie de changer d'avis à la dernière minute, pensa Harry *in petto*.

Sans répondre, il sortit par la porte latérale et se dirigea vers sa camionnette.

— Chouette voiture, dit encore Cameron derrière lui. J'en avais une un peu comme celle-là, mais je l'ai vendue pour m'aider à payer mes études. Et j'ai acheté ce clou.

Il montrait une vieille voiture bleue très cabossée, de l'autre côté du parking.

— Tant que ça roule… Donne-moi une minute pour passer par l'avant et je pousse la table vers toi.

— D'accord.

Ils rentrèrent la table sans grande difficulté, la posant à l'endroit que leur indiquait Adeline, sous le plan de la ville. Le souffle court, Harry présenta sa mère à Cameron. Cordiale, elle lui serra la main en l'étudiant de haut en bas.

— Harry, si tu ne t'intéresses plus à Jackie, on pourrait peut-être lui présenter ce jeune homme ?

L'intéressé sourit poliment, interdit, mais Harry capta le regard paniqué qu'il lui jetait.

— C'est déjà fait, dit-il.

Au même moment, Cam bredouillait :

— Merci, mais je suis célibataire et heureux de l'être.

— Mais non ! protesta Adeline. Comment un célibataire pourrait-il être heureux ?

— Facile : pas de femme dans sa vie, répliqua Harry avec entrain. Globalement, les femmes nous compliquent beaucoup l'existence. Tu es l'exception, bien sûr.

— Sans femme, c'est tout ce que vous avez : une existence, pas une vie. Enfin, si certains hommes n'apprennent jamais à apprécier une femme…

— J'apprécie énormément *les* femmes ! Justement ! osa rétorquer Cam.

Harry décida que ce garçon lui plaisait.

L'escarmouche l'avait mis de bonne humeur. Il se penchait pour brancher le téléphone quand celui-ci sonna entre ses mains.

Il regarda sa mère et Cameron avec un grand sourire.

— Fantastique ! On nous a connectés pendant mon absence.

Il s'éclaircit la gorge et prit un ton professionnel pour répondre au premier appel dans ses nouveaux locaux.

— Les Gars de Whitcomb, articula-t-il.

— Ici le Vieux Relais, s'écria une voix de femme. Le robinet de la cuisine vient de sauter, l'eau jaillit partout. Je vous en prie, dites-moi que vous avez un plombier !

Puis elle cria à quelqu'un près d'elle :

— L'arrivée d'eau ! Sous l'escalier de la cave ! Celle qui commande l'eau chaude !

Pressant le combiné contre sa poitrine, Harry se retourna vers Cam en haussant les sourcils.

— Tu étais censé ne commencer que mardi. Qu'est-ce qu'on fait ?

— C'est une urgence ?

— On dirait. Au Vieux Relais, dans la cuisine. Un robinet qui a sauté, de l'eau partout.

— Je prends, dit le grand garçon en se dirigeant vers la porte.

Reprenant le combiné, Harry dit avec satisfaction :

— Notre gars est déjà en route.

— Je vous aime, gémit la femme avant de raccrocher.

— Pas mal ! s'écria Harry en décrochant le journal des interventions pour y inscrire le premier dépannage. Les affaires reprennent, et on n'a même pas encore fini d'emménager.

Rapidement, il nota la destination de Cam, ajouta l'heure, et se retourna vers sa mère.

— Il y a eu d'autres appels ?

— Bien sûr, si tu étais seulement capable de t'en apercevoir, bougonna-t-elle en lui tendant une tasse de café.

Comprenant intuitivement qu'il allait regretter sa question, il demanda :

— Quel appel ?

— Celui qui aurait dû te réveiller ! s'écria-t-elle. C'est quoi, ton problème ? Comment peux-tu crier contre une pauvre femme enceinte, et qui est le maire, en plus ! La femme que tu disais aimer plus que ta propre vie.

Traversant la pièce, il saisit son siège de bureau d'une main et le posa derrière sa table.

— Elle a crié la première.

Comprenant à quel point cette réaction était absurde, il chercha à se rattraper.

— De toute façon, il n'est plus question d'amour entre nous. C'est fini depuis longtemps. Elle a épousé quelqu'un d'autre, elle a eu ses enfants…

— … Et elle a été malheureuse comme les pierres.

— Je n'y peux rien !

On ne pouvait tout de même pas lui reprocher ça ! De toute façon, il détestait y penser.

— C'est elle qui a choisi de rester, trancha-t-il.

Mais on ne faisait pas taire Adeline aussi facilement.

— Sur le moment, elle a sans doute pensé que c'était plus sage.

Lui tournant le dos, Harry ouvrit le carton qui contenait son sous-main et les photos de famille qu'il disposait toujours sur son bureau.

— Elle a fait un mariage malheureux, et moi une carrière réussie, grogna-t-il. Lequel de nous deux a eu raison ?

— On ne peut pas toujours juger simplement par un résultat.

Incrédule, il se redressa à demi.

— Mais comment veux-tu juger, alors ?

— Peut-être d'après le nombre de personnes qui ont à souffrir d'une décision.

— Dans ce cas, la sienne a été un véritable désastre !

De plus en plus énervé, il chercha sa réserve de stylos.

— Ses parents étaient heureux qu'elle soit restée, dit Adeline derrière lui.

— Sûrement pas ! s'exclama-t-il, excédé. Elle est partie à Boston pendant deux ans !

— Avec toi, elle serait partie en Californie. A Boston au moins, ils pouvaient la voir de temps en temps.

Elle vint se planter près de lui. Refusant de relever la tête, il arrangea ses photos. Leur famille lors d'un voyage à Disney World ; ils portaient tous des oreilles de Mickey ; son père faisait la tête. La photo de fin d'études de Haley, et une autre d'elle avec Bart, le jour de leur mariage.

— Je pense seulement que tu as besoin de laisser tout ça derrière toi, dit sa mère.

Elle avait la voix qu'elle prenait autrefois pour le consoler quand son père le tourmentait. Elle posa la main sur son bras.

— C'est du passé, tout ça. Vous avez fait vos choix tous les deux, vous en avez assumé les conséquences. Maintenant que vous allez vous croiser au quotidien, ce serait beaucoup plus facile si vous faisiez la paix.

Puis, incapable de résister, elle ajouta :

— Et tu pourrais te montrer un peu plus gentil.

Le soir où il avait dû partir sans Jackie avait été le pire moment de toute son existence. Jamais il n'oublierait le choc qu'il avait ressenti, l'incrédulité, le chagrin. Il n'avait que dix-huit ans, mais son amour pour elle était mûr et puissant, avec des racines profondes. Ces racines, elle les avait piétinées.

— Elle m'a arraché le cœur, maman, protesta-t-il.

Il fut contrarié par la tournure mélodramatique de la phrase, mais c'était ce qu'il ressentait vraiment.

Pour toute réponse, sa mère secoua la tête en décrochant son manteau.

— Sans doute, oui, soupira-t-elle. En tout cas, on dirait bien que tu n'en as plus. Je vais chercher des scones.

— Merci. Prends-en un pour Cameron, au cas où il repasserait avant de rentrer chez lui.

Il prit un billet dans la boîte qui leur servait de caisse et le lui tendit. Comme elle restait plantée là à le fixer d'un air désapprobateur, il ajouta à tout hasard :

— S'il te plaît ?

Comme cela ne semblait pas la satisfaire, il ajouta :

— Merci ?

Elle émit un gros soupir et se dirigea vers la porte. Elle se retourna vers lui avant d'en franchir le seuil et conclut :

— Eh bien, à défaut d'autre chose, je t'aurai au moins appris les bonnes manières ! A tout de suite.

Il se laissa tomber sur son siège pour savourer le bref répit qu'elle lui accordait. Si seulement elle pouvait être kidnappée par des extraterrestres, rêvassa-t-il. Des extraterrestres gentils, qui apprécieraient le patchwork et qui auraient de l'aspirine et du liniment au menthol. Elle serait contente, il serait content.

Mais bien sûr, il n'aurait pas cette chance. Il allait devoir apprendre à travailler avec elle au quotidien, et aussi à croiser Jackie au détour d'un couloir au moment où il s'y attendrait le moins. Très bien !

Il gloussa. Un jour, il aurait sa revanche. Le jour où le temple pour lequel sa mère se dévouait tant avec l'Ecole du dimanche aurait besoin d'un dépannage en urgence, le jour où le micro tomberait en panne le jour du discours du… maire ! Il gloussa une nouvelle fois.

Il ouvrait son tiroir pour en sortir un bloc quand il se retrouva dans le noir le plus total. Probablement un fusible qui avait fondu. L'espace d'un instant, il fut saisi d'un doute. Etait-ce la défaillance d'une installation électrique trop ancienne, ou un châtiment pour ses mauvaises pensées ?

3.

Jackie referma derrière elle la porte de sa maison. Quelle chance que son assistant assure l'accueil à l'Auberge tous les soirs de cette semaine. Elle pourrait dîner tranquillement avec les filles, passer une soirée paisible en famille. Elle entendit soudain des cris furieux éclater dans la cuisine.

Elle grimaça en comprenant que cette soirée tranquille qu'elle désirait tant n'était pas gagnée d'avance !

Glory, la baby-sitter, s'efforçait de calmer les filles, sans le moindre résultat. Posément, Jackie accrocha ses clés, retira son manteau. Parfois, elle aimerait avoir une autre vie, juste pour un soir… Avec un bref soupir, elle se dirigea vers le centre des hostilités.

— Je ne peux pas croire que tu aies fait ça ! tempêtait Erica.

Rachel lui tenait tête, butée, ses bras fluets croisés sur une robe fleurie que Jackie ne lui avait jamais vue auparavant, même si l'imprimé lui semblait curieusement familier.

— C'était à moi ! hurlait la grande sœur d'une voix perçante.

Ricky avait été un père peu attentif. S'il s'occupait parfois de ses filles, le plus souvent, il semblait à peine conscient de leur présence. Ses affaires, ses projets, ses désirs l'intéressaient davantage. Cette attitude n'avait pas empêché les petites d'avoir beaucoup de chagrin à sa mort. Erica, toujours si gaie et ouverte, était devenue maussade et coléreuse. Rachel voulait souvent parler de la mort, et ne semblait guère satisfaite des explications qu'on pouvait lui donner.

— Maman l'avait achetée pour *moi* ! vociférait Erica. Tu es une petite peste égoïste ! Je te déteste !

Et elle se jeta sur sa petite sœur.

Jackie se précipita pour l'intercepter. Elle écarta Rachel d'une main et saisit au vol les poings de son aînée.

Celle-ci était grande et mince comme son père, Rachel menue et blonde comme Jackie, mais les deux semblaient tenir leur caractère d'ancêtres plus barbares.

— Erica, retire ce que tu viens de dire.

— Non ! Regarde ce qu'elle a fait de ma taie d'oreiller !

— Je l'ai faite belle !

Ouvrant les bras, Rachel pivota sur elle-même comme une top model. Voilà pourquoi cet imprimé de roses et de violettes lui disait quelque chose : c'était la taie d'oreiller d'Erica, dans laquelle Rachel avait découpé des trous pour sa tête et ses bras. Quant à la cordelette blanche qui lui servait de ceinture, elle retenait en temps normal, au moins jusqu'à ce matin, le rideau de la salle de bains.

Jackie poussa un soupir excédé. De son côté, Glory semblait avoir du mal à se retenir de rire. Croisant son regard, la jeune fille reprit immédiatement son sérieux et s'écria :

— Je suis désolée ! J'aurais dû aller voir ce que faisait Rachel. On ne l'entendait plus.

Rachel, chaque jour plus imprévisible, et dont le sens du style devenait presque inquiétant, expliqua :

— On ne m'entendait plus parce que j'étais… c'est quoi, le mot quand on a une idée trop bonne, et qu'il faut absolument essayer ?

— « Inspirée » ? proposa Jackie.

Rachel hocha la tête avec un large sourire, enchantée d'être si bien comprise.

— Eh bien, décida Jackie, tu serais bien inspirée de donner ta propre taie d'oreiller à Erica. C'est bien d'avoir des idées, mais tu ne dois pas les tester sur les affaires des autres.

— Oh, non ! se récria la grande, horrifiée. Il y a des cochons et des canards sur ses oreillers. Moi, je pense qu'elle devrait ranger ma chambre pendant un an !

— Sûrement pas ! hurla Rachel.

— Dans ce cas, elle remboursera le prix de ta taie avec ses économies, arbitra Jackie. Tu pourras en acheter une neuve.

Rachel, qui était très économe, se mit à bouder. Un compromis était pourtant en vue, la tension commençait à s'apaiser. Jackie put lâcher les bras d'Erica.

— Maintenant, retire les « je te déteste », dit-elle.

— Mais je la déteste, riposta sa fille sur le ton de l'évidence.

Cette froide affirmation aurait eu de quoi l'inquiéter si elle ne l'avait pas vue, deux jours auparavant, défendre sa cadette face à un petit tyran qui tentait de lui piquer ses bonbons. Le fait qu'Erica ait exigé la moitié des bonbons en remerciement n'y changeait rien, car Rachel comprenait très bien le principe du commerce.

Doucement, Jackie effleura la joue brûlante d'Erica. Une caresse suffisait généralement à l'apaiser.

— Mais non, dit-elle. Tu es juste trop jeune pour sentir la différence entre la colère et la haine. C'est quoi, notre règle, pour la haine ?

— On peut détester les choses, pas les gens, grogna sa fille.

— Alors ?

— Alors je retire ce que j'ai dit, répondit la petite fille

de mauvaise grâce, mais si elle abîme encore mes affaires, même si je ne la déteste pas, je...

Elle hésita. Jackie interdisait également la violence ou les menaces. Elle trouva pourtant la solution :

— Je laisserai Frankie Morton lui prendre tous ses bonbons !

Rachel se précipita au premier, en larmes.

Souriant à Glory par-dessus la tête d'Erica, Jackie proposa :

— Tu veux rester dîner ? Ce devrait être animé.

La jeune fille secoua la tête avec une grimace amusée.

— Merci, mais je dois retrouver un ami.

— Un garçon, précisa Erica à l'intention de sa mère. Ils se sont rencontrés à la bibliothèque. Ce soir, il l'a invitée à dîner.

Jackie était enchantée de cette nouvelle. Glory travaillait tant qu'elle trouvait rarement le temps de sortir.

— Je le connais ? demanda-t-elle.

— Je ne crois pas, répondit Glory en rassemblant ses affaires. Il s'appelle Jimmy Elliott, il est pompier, mais il travaille pour M. Whitcomb pendant ses jours de repos.

— Je vois.

Le nom de Harry avait suffi à assombrir son humeur. Son sac déjà sur l'épaule, des livres plein les bras, Glory la regarda avec inquiétude.

— Ce n'est pas une bonne chose ?

— Mais si ! s'écria Jackie. C'est juste qu'on ne s'entend pas très bien, tous les deux.

— Vous et Jimmy ? demanda Glory, perplexe.

— Non, bien sûr. Harry Whitcomb et moi. Il vient d'emménager dans les nouveaux bureaux au sous-sol de la mairie.

— J'aime mieux ça ! Jimmy me plaît beaucoup.

— Alors, amuse-toi bien ce soir.

Sur le pas de la porte, Glory se ravisa.

— J'ai failli oublier, dit-elle en lui tendant un papier plié. De la part de Mme Powell. Je ne l'ai pas lu, mais d'après Erica sa maîtresse s'énerve après elle parce qu'elle a du mal à l'écouter.

Encore un mot de l'école ! De quoi achever de gâcher la soirée. Une fois de plus, elle devrait tenter d'en parler avec Erica, mais pas tout de suite, car Rachel venait de redescendre avec sa tirelire en forme de château avec une princesse blonde dans la tour. La petite fille se percha à genoux sur une chaise, les yeux et le bout du nez encore rouges de sa crise de larmes.

— Combien coûtait la taie, maman ? demanda-t-elle.

Jackie s'assit en face d'elle et s'efforça de s'en souvenir. La taie faisait partie d'une parure, avec un drap et une housse de couette. Elle revoyait très bien les circonstances : un jour qu'Erica n'avait pas le moral, elle s'était plainte de la décoration de sa chambre, qui datait de ses cinq ans. Optant pour la solution la plus simple et la plus rapide, Jackie avait proposé de changer sa literie.

— C'était en solde, dit Erica en commençant à mettre le couvert. Au départ, ça coûtait quatre-vingts dollars, je m'en souviens parce que je pensais que ce serait trop cher, mais la dame a dit qu'elle nous le ferait à moitié prix.

Encouragée par son aide, Jackie demanda :

— Alors ? Combien crois-tu que coûte une taie d'oreiller ?

Erica vint les rejoindre à table.

— La housse de couette vaudrait la moitié, tu ne crois pas ? proposa-t-elle, oubliant sa fureur pour s'intéresser à la négociation.

— Ça me semble raisonnable, dit sa mère.

Erica ferma les yeux pour mieux se concentrer.

— Alors… ça laisse vingt dollars, et le drap serait… disons les trois quarts de ça. Il reste cinq dollars pour les taies d'oreiller.

Résignée, Rachel retira le bouchon de caoutchouc au fond de sa tirelire et glissa ses doigts minces à l'intérieur. Lentement, elle déplia quatre billets de un dollar, puis demanda à Erica :

— Il y a quatre *quarters* dans un dollar, c'est ça ?

Erica s'affaissa contre le dossier d'une chaise en levant les yeux au ciel.

— C'était les deux taies pour cinq dollars, soupira-t-elle. Tu n'en as abîmé qu'une seule.

Sous ses grands airs méprisants, elle se montrait juste et ne cherchait pas à profiter de sa petite sœur. L'expression de celle-ci s'éclaira un peu.

— C'est quoi, la moitié de cinq dollars ? demanda-t-elle.

— Deux dollars cinquante, répondit Jackie. Deux dollars, deux *quarters*.

La petite compta l'argent et le tendit à sa sœur.

— Je regrette, dit-elle.

— Ne touche plus à mes affaires, répondit Erica en le lui arrachant des mains.

— Quoi d'autre ? l'encouragea Jackie.

— Je ne laisserai pas Frankie Morton voler tes bonbons, dit-elle, l'air de faire une grande concession.

— Mais encore ?

Erica la regarda, perplexe, puis demanda, l'air hésitant :

— Merci ?

— Oui !

Jackie soupira d'aise. Mission accomplie ! Ce n'était pas tous les jours qu'elle parvenait à arbitrer une dispute en donnant en prime une double leçon de calcul et d'éthique !

— Je suis fière de vous. Toi, tu as assumé ta responsabilité, dit-elle en serrant Rachel contre elle, et toi…

Erica voulut échapper à son étreinte, mais elle l'attrapa et la serra très fort, achevant :

— … Toi, tu as été généreuse, tu n'as pas jubilé méchamment quand on t'a donné raison.

Erica l'étreignit en retour… et le bébé lança un violent coup de pied. Erica se redressa d'un bond, les yeux ronds.

— Il nous a tapées ! murmura-t-elle en posant la main sur le ventre de sa mère.

— Il voulait sûrement un câlin, lui aussi.

Rachel se précipita pour poser la main, elle aussi. Immobiles et silencieuses, elles retinrent leur souffle en attendant un nouveau signal, qui vint sous la forme d'un second coup, très net. Les filles levèrent la tête vers Jackie, elles échangèrent un sourire.

Puis le visage d'Erica se ferma et elle soupira :

— Bientôt, il y aura encore quelqu'un d'autre pour prendre mes affaires…

Jackie l'embrassa sur le front.

— Allons, ma chérie, ne recommence pas. Je vais m'occuper du dîner et tout ira mieux quand nous aurons le ventre plein.

Elle se mit à préparer le repas, lavant une salade pendant que les spaghettis cuisaient et que la sauce chauffait au micro-ondes. Ensuite, elles se mirent à table et bavardèrent de tout et de rien. Rachel raconta une histoire très compliquée au sujet du lézard du terrarium de sa classe qui avait perdu sa queue, et du farceur anonyme qui avait glissé cette queue dans le sac à main de la maîtresse.

Erica chercha le regard de sa mère et lui offrit un sourire hésitant. Emue, Jackie lui sourit en réponse. Ces moments précieux ! Dire que d'un jour à l'autre, Erica entrerait dans l'adolescence et elles se disputeraient à longueur de journée !

A moins qu'elle n'ait de la chance. Certaines mères s'en sortaient bien, comme Evelyn, sa secrétaire, qui s'entendait bien avec ses trois grandes filles. Ses propres filles étaient vivantes, intéressantes, mais que de conflits ! Quelquefois, elle se sentait un peu jalouse d'Evelyn et de sa famille si unie.

Au fond, la vie lui donnait parfois de grands cadeaux, mais jamais celui de la facilité. Toutes ses victoires, elle les avait durement remportées.

Après le dîner, Rachel monta prendre son bain pendant qu'Erica aida sa mère à débarrasser la table.

— Tu vas me gronder, pour le mot de l'école ? lui demanda Erica sans la regarder.

— Avoir du mal à se concentrer, ce n'est pas comme de chahuter ou d'être insolente en classe.

Du coin de l'œil, elle capta la surprise de sa fille et enchaîna :

— Ce n'est tout de même pas très bon pour tes notes. A quoi penses-tu en classe ? A papa ? Quand quelqu'un meurt, il faut très longtemps pour s'en remettre…

Le mot de Mme Powell disait plus ou moins la même chose, mais exprimait une inquiétude grandissante : à son avis, les difficultés de concentration d'Erica empiraient de jour en jour.

— Au début, oui, mais plus bien maintenant.

La petite rangea le beurre et le parmesan dans le réfrigérateur, retourna chercher les sets de table et ouvrit la porte de derrière pour les secouer. En revenant, elle prit le temps de les disposer sur la table ; enfin, elle s'approcha de Jackie qui attendait patiemment, accoudée au plan de travail.

— Je veux dire… il nous aimait sûrement, mais on n'avait pas l'air de lui manquer beaucoup quand il était en voyage. Et

45

quand il rentrait à la maison, c'était comme s'il avait hâte de repartir. C'est quand même bizarre pour un papa, non ?

— Il vous aimait très fort, ma chérie.

Jackie se mit à récurer une casserole. Si elle faisait mine d'accorder trop d'importance à cette discussion, elle savait que sa fille se défilerait.

— Papy Boullois n'a jamais été très affectueux avec papa quand il était petit, dit-elle. Il ne passait du temps avec lui que pour lui faire visiter l'usine et lui expliquer le fonctionnement de l'entreprise. Il y a des gens à qui il faut montrer comment donner de l'amour, et personne ne l'avait fait pour lui.

— Toi, tu l'as fait, objecta la petite. Mais il n'a pas remarqué.

Jackie s'arrêta dans sa tâche, saisie par la finesse de cette observation.

— Non, tu as raison. Mais quand je suis arrivée, ton père était déjà un adulte. Les adultes ont davantage de mal à apprendre que les enfants.

— C'est pour ça qu'il était avec cette dame à Boston quand il a fait sa crise cardiaque ?

Elle posa la question si simplement que Jackie comprit qu'elle connaissait la vérité depuis longtemps.

Choquée, elle lâcha son éponge pour se retourner vers elle, le front plissé.

— J'ai entendu parler Mme Powell et la directrice. Quand j'ai apporté le mot pour que Glory ait le droit de venir nous chercher à la sortie de l'école.

— Tu veux dire… quand je suis devenue le maire ? Tu sais depuis tout ce temps ?

— Tout le monde le sait, maman. Les gens nous regardent comme s'il nous était arrivé un truc terrible. Pas seulement que papa soit mort, mais quelque chose d'injuste, comme si on se retrouvait en fauteuil roulant. Comme s'ils faisaient

46

semblant de ne rien remarquer de spécial pour ne pas nous faire de peine, mais tu sens qu'ils sont bien contents de ne pas être à notre place.

— Tu aurais dû me le dire, ma chérie…

Le cœur serré, elle lui caressa le bras. Pour une fois, Erica ne s'écarta pas, se contentant de dire d'un petit air sérieux qui lui serra le cœur :

— Tu n'aurais rien pu changer. Il n'était plus là. Mais pourquoi est-ce qu'il a fait ça, à ton avis ?

Que répondre à cela ? Choisissant ses mots avec beaucoup de précaution, Jackie tenta une explication.

— Je crois que quand on n'est pas aimé comme il faut quand on est petit, on grandit avec un cœur vide qui cherche tout le temps de l'amour. S'il est vraiment vide, il ne le reconnaît même pas quand il en reçoit, alors il continue à chercher.

— Mais toi, ça ne te dérangeait pas ?

— Eh bien…

Elle se sentit gênée, comme si sa fille lui reprochait d'être restée si longtemps dans un mariage sans amour.

— Si, ça me faisait mal, mais pas autant qu'on pourrait le croire. Parce que je le comprenais. Et le fait d'être mariée avec lui m'a permis de vous avoir, toi et Rachel. Vous deux, vous êtes tout pour moi.

— Et le bébé, compléta Erica en fronçant les sourcils.

Le bébé ! C'était donc là le problème ? Effectivement, la réaction d'Erica était ambiguë. Parfois, elle semblait enchantée de sa venue, parfois troublée…

— Qu'est-ce qui t'ennuie dans l'arrivée du bébé ?

Erica baissa le nez, l'air coupable.

— Tu peux me le dire, insista Jackie. Tu as peur qu'il compte davantage pour moi que toi ?

— Mais non, dit-elle en se dandinant, le regard rivé au sol.

— Tu crois que je vais m'occuper de lui et plus de toi ?

— Non.

— Tu as peur que cela ne soit plus comme avant ?

Sa fille releva enfin la tête, les lèvres tremblantes, les yeux remplis de larmes.

— Non, mais si tu mourais ?

— Quoi ? s'exclama Jackie, stupéfaite.

— Mais oui, si tu mourais, s'exclama Erica. Personne ne s'attendait à ce que papa meure et c'est arrivé ! Et toi, tu es dans une catégorie à risque !

Lui prenant la main, Jackie l'entraîna vers la table et s'assit près d'elle en l'entourant de son bras.

— Que veux-tu dire par ta catégorie à risque ? Où as-tu pêché ça ?

— La mère de Sarah Campbell est infirmière. Elle parlait avec Mme Powell à la fête de l'école en février. Mme Campbell avait apporté des bonbons.

Erica parlait très vite, ses phrases entrecoupées de petites inspirations anxieuses.

— Toutes les dames de plus de trente ans sont à risque quand elles ont des bébés, parce qu'elles sont trop vieilles. Il faudrait seulement en avoir quand on est jeune.

Vieille ? A trente-quatre ans ? Jackie grimaça intérieurement.

— Mon cœur, ça veut seulement dire que si tu as plus de trente ans, ils font encore plus attention à toi. Il peut quelquefois y avoir un problème, mais on sait bien les soigner aujourd'hui. Ce serait plus compliqué si c'était mon premier mais c'est mon troisième enfant ! Et je ne suis pas encore assez vieille pour que ce soit vraiment risqué.

— Tu es sûre ? insista sa fille avec inquiétude. Je sais bien que tu n'es pas aussi vieille que Adeline Whitcomb, mais tu n'es quand même plus jeune.

Se hissant sur ses pieds, elle alla chercher un mouchoir en papier et l'apporta à sa fille.

— Au dernier examen, le médecin m'a dit que le bébé poussait bien, et je suis aussi solide qu'un cheval. Tu n'as pas de souci à te faire.

— On ne savait pas qu'il y avait du souci à se faire pour papa, dit Erica dans un hoquet en se tamponnant le nez.

— C'était une crise cardiaque. Mon cœur est en pleine forme. Je te l'ai dit, le médecin a tout vérifié.

— Qu'est-ce qui nous arriverait si tu mourais ?

Une question légitime. Par chance, Jackie y avait déjà pensé et sa réponse était prête.

— Quand papa est mort et que j'ai appris que j'étais enceinte, j'ai mis dans mon testament que si jamais il m'arrivait quelque chose, toi, Rachel et le bébé, vous iriez vivre avec Haley.

Le visage d'Erica s'éclaira. Au point que Jackie sentit un pincement vexé dans sa poitrine.

— C'est vrai ? s'écria la gamine. Et elle est d'accord ?

— Oui. Et Bart aussi, elle lui en a parlé quand ils se sont mariés.

— Génial !

— Exactement. Alors tu vois, tu n'as aucun souci à te faire. Dis-moi, ma puce, tu ne vas pas te débarrasser de moi pour pouvoir aller vivre avec Haley quand même ?

Enfin, Erica esquissa un sourire.

— Non ! Je m'inquiétais, c'est tout. Le père de Brenda Harris est parti quand elle était toute petite, alors quand sa mère est morte dans un accident de voiture, Brenda a dû aller habiter dans plein de maisons différentes. Elle a détesté. Chaque fois, il y a des règlements différents, et on ne connaît pas les gens. Ce serait horrible.

— Oui, horrible.

Le cœur serré, Jackie la serra bien fort contre elle.

— Tu n'as pas à t'en faire. J'ai pensé à tout.

Erica lui rendit son étreinte avec une conviction qui lui fit un bien fou.

— D'accord. Merci, maman.

Erica monta faire ses devoirs, Rachel descendit pour annoncer qu'elle avait terminé son bain. Vêtue de son pyjama rose, elle tira un tabouret, s'y percha et annonça :

— Quand je serai grande, je mettrai des chemises de nuit toutes floues avec des plumes au décolleté.

Depuis quelque temps, elle était fascinée par les tenues qu'elle découvrait dans les films que regardait Glory à la télévision quand elle faisait du baby-sitting : de vieux films des années trente et quarante dans lesquels les femmes portaient des déshabillés glamour.

— Moi aussi, je les aime bien, avoua Jackie.

Elle referma le lave-vaisselle, le mit en marche, et passa l'éponge sur le plan de travail en demandant :

— Comment ça s'est passé, aujourd'hui ?

— Pas mal. Le CP, ce n'est pas passionnant, tu sais ! Et toi ?

Jackie rinça son éponge, la serra vigoureusement pour l'essorer et la glissa derrière le robinet.

— On ne s'ennuie jamais à la mairie, raconta-t-elle. Les nouveaux locataires sont arrivés aujourd'hui. Tu sais, dans les bureaux tout neufs du sous-sol. L'un d'eux est un électricien que la municipalité vient d'embaucher pour faire des réparations, et sa mère va travailler avec lui. Devine qui c'est ?

— Qui ?

— Adeline Whitcomb !

Rachel sourit, enchantée. Elle adorait Adeline.

— Elle sait faire les réparations ?

— Non, elle va juste répondre au téléphone, prendre les messages, envoyer les hommes à la bonne adresse.

La petite se désintéressait déjà du sujet.

— Erica n'est plus trop en colère contre moi, annonça-t-elle.

— Tu n'aurais pas dû découper sa taie d'oreiller, mais c'était bien de la rembourser.

— Les cochons et les canards sur la mienne n'auraient pas fait une super robe. Et sur les tiennes, il n'y a pas de dessin.

Jackie fronça les sourcils en découvrant le risque qu'avaient couru ses taies d'oreiller !

La pendule du salon sonna sept coups.

— Je file, maman. C'est l'heure des *Jeunes Robinson* !

C'était son émission préférée, une série sur une bande de gamins naufragés sur une île tropicale. Remettant le tabouret à sa place, Jackie promena un regard circulaire sur sa cuisine propre et silencieuse.

Pour la centième fois, elle se dit que gérer une municipalité de quatre mille habitants, c'était plus simple qu'élever deux petites filles.

Harry raccompagna sa mère chez elle après leur dîner à l'Auberge, très satisfait de sa soirée et content de n'avoir pas croisé Jackie. Une fois dans la journée, cela lui suffisait largement !

Autre cause de satisfaction, la panne de courant de cet après-midi à la mairie était simplement due à un appareil branché par sa voisine, la masseuse. Le plus difficile avait été de retrouver sa lampe de poche dans les cartons ; ensuite, il était vite parvenu à régler le problème.

La voix de sa mère interrompit ses réflexions :

— J'ai trouvé quelqu'un à te faire rencontrer.

Le problème avec sa mère, c'est qu'elle était prête à tout pour lui jeter une femme dans les bras : un soir, elle était même allée jusqu'à passer chez lui pour déposer une pizza... et la fille d'une amie !

— La nièce de Doris McIntyre vient d'arriver de New York, elle va passer deux semaines ici. Elle a besoin de quelqu'un pour lui faire visiter Maple Hill.

— Maman, il lui suffira d'une promenade de deux heures pour tout voir. Soixante minutes si elle ne pousse pas jusqu'au lac.

— Harry, ne sois pas contrariant.

Croisant les bras, elle le regarda, les sourcils froncés, et se lança dans sa tirade habituelle :

— Je ne rajeunis pas et je n'ai pas encore un seul petit enfant. Pas un seul ! Toutes mes amies au club de Patchwork de Quincy en ont, Bedelia Jones en a même onze, mais moi, je...

— J'ai compris, maman, interrompit-il. Mais pourquoi t'adresser à moi ? Haley et Bart sont mariés depuis six mois, ce serait plutôt à eux de te fournir une descendance.

Adeline fit la grimace.

— Ils attendent, articula-t-elle.

— Ils attendent quoi ?

— Ils n'ont pas dit. Je n'ai pas demandé.

— Je vois. Il n'y a que moi qui ai droit à tes tactiques terroristes.

— Tu es mon aîné.

— Ça ne veut pas dire que tu as le droit de me harceler.

— C'est du harcèlement de vouloir que tu rencontres une fille bien ?

— Non, mais le fait de vouloir me la choisir, si.

— Je ne la choisis pas pour toi ! clama-t-elle, outrée. Je t'aide à trouver des candidates puisque, toi, tu ne fais rien.

— Je monte mon entreprise.

— J'aurai soixante-dix ans dans dix ans !

Cette fois, il éclata d'un grand rire.

— Je ne vois pas le rapport. Tu auras bientôt soixante ans et tu es jeune pour ton âge. Détends-toi, tu as tout le temps.

Il y eut un bref silence, puis elle demanda d'une voix empreinte de gravité :

— Et si je te disais que je suis mourante ?

Le cœur de Harry fit un soubresaut brutal dans sa poitrine. Rabattant la voiture vers le bas-côté, il l'immobilisa dans un crissement de freins.

— Quoi ? demanda-t-il en se tournant vers elle.

Manifestement, le résultat de sa question dépassait son attente ! Ennuyée de l'avoir effrayé, cherchant à se donner une contenance, Adeline releva le col de son manteau d'un air hautain.

— Ce n'est pas le cas, dit-elle avec beaucoup de dignité. Mais si c'était vrai ? Je suis censée descendre dans la tombe sans avoir jamais tenu ton bébé dans mes bras ?

Harry s'effondra contre son volant.

— Maman, articula-t-il, je clouerai moi-même ton cercueil si jamais tu t'avises de me refaire un choc pareil.

— J'essaie juste de te faire comprendre, grogna-t-elle, vexée.

— Je comprends, crois-moi.

Vérifiant son rétroviseur, il reprit la route avec précaution. Son cœur s'apaisait peu à peu. Faisant un violent effort de patience, il répéta :

— J'essaie de monter une entreprise, maman. Oublie un peu les petits-enfants, d'accord ?

— C'est à toi que je pense.

— Je vais bien.

— Tu es seul.

— Ça m'arrange.

Il quitta la petite route pour s'engager dans l'allée de la

maison de sa mère. Une fois garé devant la porte, il coupa le contact et se tourna vers elle avec un soupir. La dispute rituelle était presque terminée. Sa mère tirerait encore quelques salves et il pourrait rentrer chez lui.

— Je croyais que tu étais revenu ici parce que, même si tu adorais ton travail à la Nasa, tu n'avais pas de vie affective, insista-t-elle. Tu avais un bel avenir, mais pas de présent.

Réprimant un nouveau soupir, il sauta à terre, sortit de l'arrière de la camionnette le tabouret qu'il y conservait pour elle, le plaça devant elle et lui tendit la main.

— C'est vrai, convint-il. Et j'apprécie beaucoup ma nouvelle vie ici. J'ai juste besoin d'un peu de temps pour en ajuster tous les morceaux. Un peu de patience, maman.

Avec précaution, elle prit pied sur l'allée verglacée. Jetant le tabouret à l'arrière, il revint prendre son bras pour l'accompagner jusqu'à la porte. Au Massachusetts, en hiver, on ne prenait jamais trop de précautions.

— Tu cherches encore à prouver quelque chose à ton père, n'est-ce pas ? Enfin, Harry, tu étais ingénieur à la Nasa ! Après cela, tu n'as plus rien à prouver à personne ! Tu n'es pas obligé de transformer les Gars de Whitcomb en multinationale.

Il ouvrit la bouche pour la contredire… et la referma. Elle avait raison : quoi qu'il fasse, il sentait toujours son père derrière lui, critiquant chacun de ses gestes.

— Il s'est toujours donné beaucoup de mal, dit-elle en lui serrant le bras, et il s'est bien débrouillé, mais tout était difficile pour lui. Et puis tu es arrivé, avec ton intelligence, ta personnalité, ton ambition, et il n'a pas pu s'empêcher de t'en vouloir. Je te l'ai déjà dit mille fois mais je me demande si tu comprends vraiment ce que je te dis : il t'aimait, mais il t'en voulait d'être plus doué que lui. Il t'en voulait parce que pour toi, c'était *facile*.

— Tu sais, maman, j'ai travaillé comme un dingue pour entrer à la Nasa.

— Je le sais bien. Mais certains travaillent dur toute leur vie sans jamais arriver à rien. Ton père aussi avait ses rêves, mais il n'est jamais sorti de son petit magasin d'électroménager.

En effet. Il revoyait son père, enfermé dans son atelier derrière le magasin, ne faisant aucun effort pour être cordial avec les clients, travaillant sans cesse sans y prendre plaisir.

— Ecoute-moi, reprit Adeline, les vieux complexes refont parfois surface au moment de tenter quelque chose de nouveau, ou quand nous tendons vers un objectif sans être sûr de mériter de l'atteindre. Tu mérites d'être heureux, Harry, et si tu refuses de faire une tentative sérieuse, je continuerai à faire ce que je peux. Quand peux-tu voir Laurel McIntyre ?

Harry s'arracha aux sombres pensées évoquées par le souvenir de son père. Le plus urgent était d'éviter la visiteuse de New York ! Faisant mine de se concentrer sur les marches verglacées du perron, il réfléchit très vite et annonça :

— Eh bien… en fait, j'ai rendez-vous avec Jackie samedi.

— C'est vrai ? Où cela ? s'écria Adeline, enchantée.

— Au salon de thé de Perk Avenue.

— Où ça ?

— Le nouveau salon de cafés, thés et pâtisseries sur la place.

Inutile de préciser qu'il « verrait » uniquement Jackie quand elle couperait le ruban lors de l'inauguration de l'établissement. Lui, le plus discrètement possible, achèverait de câbler le néon de l'enseigne. Celle-ci n'arriverait que dans la soirée du vendredi, et il n'aurait sans doute pas terminé avant la cérémonie.

Sa mère lui jeta un regard soupçonneux.

— La dernière fois que je vous ai vus ensemble, vous vous disputiez comme chien et chat.

— Oui, mais tu n'as pas tout vu. Je l'ai croisée de nouveau un peu plus tard, nous avons parlé et… je la vois la semaine prochaine.

En somme, ce n'était pas si loin de la vérité !

— Eh bien, tu vois ! Ce n'était pas si difficile ! s'écria sa mère en se jetant dans ses bras pour une étreinte rapide. Tu me raconteras, après ?

— Le salon de thé, oui. Jackie, non.

Elle secoua les épaules sans se laisser démonter.

— Ce n'est pas grave, je n'aurai qu'à demander aux filles dimanche. Merci pour le dîner, mon chéri.

— De rien, maman.

Il attendit qu'elle ait refermé la porte pour dévaler les marches. Il avait oublié que les filles de Jackie étaient dans le groupe d'Ecole du dimanche de sa mère. C'était bien sa chance !

Quand il était adolescent, elle avait ses espions partout. Il lui était impossible de sortir avec une fille, de faire un tour en ville ou de boire une bière en cachette sans qu'on vienne le raconter à sa mère. Aujourd'hui, il avait trente-cinq ans, et c'était toujours la même chose.

4.

Le samedi matin, il fit la connaissance des filles de Jackie. Il avait travaillé plus vite que prévu, l'enseigne était fixée à ses supports et il achevait de la brancher quand une petite foule commença à se rassembler pour l'inauguration. Content d'avoir terminé à temps, il mit le courant et l'enchevêtrement de néon se mit à briller, formant une grande tasse de moka couronnée de crème fouettée, posée près d'une théière rebondie. En dessous, le nom de l'établissement clignotait en italique, et l'ensemble semblait reposer sur un triangle de dentelle de néon. Les propriétaires, deux dames d'un certain âge, applaudirent, imitées de bonne grâce par la foule. Quand il descendit de son échelle, elles le serrèrent sur leur cœur.

Puis il passa à l'intérieur et se hâta d'effacer toute trace du chantier. Il achevait de rassembler ses outils quand la porte vitrée s'ouvrit à la volée et une petite fille en manteau et béret rouges entra en courant. De longs cheveux blonds voltigeaient sur ses épaules, et ses yeux gris avaient une expression effarée. Il reconnut la plus jeune des filles de Jackie.

— Bonjour, dit-il en nouant un rouleau de fil électrique. Tu as perdu ta mère ?

Elle secoua la tête, jetant des regards furtifs à la ronde.

— Tu cherches les toilettes ?

Comme elle approuvait de la tête, il lui indiqua la bonne porte, cachée dans un coin.

— Merci ! s'écria-t-elle en filant.

Un instant plus tard, la porte s'ouvrit de nouveau et la grande sœur entra, en manteau rose et tête nue. Autant la petite était le portrait de sa mère au même âge, autant celle-ci devait ressembler à son père, avec ses épais cheveux sombres noués sur le côté. Comment s'appelaient-elles déjà ?

Les yeux sombres de la nouvelle venue se posèrent sur lui avec méfiance. Loin de se vexer, il approuva cette prudence face aux inconnus.

— Ta petite sœur est aux toilettes, lui dit-il en lui montrant la porte.

Elle esquissa un mouvement pour s'éloigner, puis se retourna pour lui demander :

— Comment vous saviez que c'était ma sœur ?

— Je connais votre mère, et je vous ai vues avec elle.

— Vous êtes un ami de ma mère ?

— Ah… pas exactement.

— Vous ne l'aimez pas ?

Voilà une question difficile !

— Disons qu'elle ne m'aime pas beaucoup.

— Pourquoi ?

Elle ressemblait peut-être physiquement à son père, mais pour le reste, c'était sa mère tout craché ! Comment était-il censé expliquer à une enfant de son âge une histoire d'amour lumineuse, tranchée net quand la fille avait refusé, sans aucune raison, de suivre le garçon qu'elle était censée aimer ?

— Nous nous sommes disputés il y a très longtemps, dit-il, et nous ne nous sommes jamais réconciliés.

Elle fronça les sourcils.

— Maman ne me laisse jamais me disputer avec Rachel sans nous réconcilier ensuite.

Il avait la réponse à sa question. Il avait devant lui Erica et celle qui se trouvait encore aux toilettes devait être Rachel.

Erica le regardait, l'air interrogateur, attendant une réponse. Il lui sourit.

— Les colères d'adultes sont peut-être plus fortes, dit-il. C'est plus dur de se réconcilier.

La petite sortit vivement des toilettes. Erica alla la rejoindre et redressa son béret qui glissait un peu de côté.

— C'est Rachel, présenta-t-elle.

— Et tu es Erica, compléta-t-il.

Elle lui sourit et s'avança, main tendue. Enchanté par cette courtoisie, il posa ses outils et s'essuya la main sur un chiffon avant de la serrer.

— Notre mère est le maire, annonça Rachel avec un large sourire en lui tendant la main à son tour. On doit sourire et être polies.

Erica lui jeta un regard impatient.

— Il sait qui on est. C'est un ami de maman.

— Je croyais que maman n'avait pas d'amis garçons.

Des employés étaient en train de tendre le large ruban blanc pour l'inauguration devant la vitrine du café. Voyant qu'elle avait encore quelques minutes, Jackie partit à la recherche de ses filles. Elle n'était pas réellement inquiète, mais une mère n'aime pas perdre ses enfants de vue trop longtemps. Et puis, qui sait quelles bêtises elles pourraient faire, laissées sans surveillance dans un café ?

Elle poussa la porte et se raidit en trouvant les filles en grande discussion avec un type en bleu de travail maculé, aux mains sales, aux cheveux… Au même instant, il tourna vers elle des yeux très bleus, et elle reconnut Harry.

Une nouvelle onde de choc se répercuta en elle.

La première impression inquiétante se dissipa instantanément : le bleu était effectivement un peu sale mais il lui allait
bien, et ses cheveux sombres lui tombaient sur le front d'une
façon assez craquante. Un frémissement presque oublié s'in-
filtra dans son bas-ventre, une sensation nettement sexuelle,
d'une intensité qui la gêna. Et, comme pour la troubler encore
davantage, elle lut dans ses yeux une expression très gaie,
comme si sa conversation avec ses filles l'amusait beaucoup.
Elle se sentit contente et flattée, et cette réaction, liée à ce
désir subit parfaitement déplacé chez une femme dans son
septième mois de grossesse, acheva de la déstabiliser.

Elle s'apprêtait à gronder les filles quand Harry prit leur
défense :

— Elles n'ont rien fait de mal, dit-il avec une douceur qui
montrait qu'il comprenait son inquiétude. Rachel cherchait
les toilettes, je lui ai simplement indiqué où elles étaient. Et
quand Erica est entrée, je lui ai dit où trouver sa sœur.

— Et ce n'est pas un inconnu, maman, ajouta Erica. C'est
ton ami. Même si vous ne vous êtes jamais réconciliés après
votre dispute.

Jackie en resta bouche bée. Qu'avait bien pu leur dire
Harry ?

— Il y aura une fête quand on aura coupé le ruban, reprit
Erica en s'adressant à Harry. Si vous voulez, vous pouvez
vous asseoir à notre table. Comme ça, maman et vous, vous
pourrez tout arranger.

Jackie ouvrit la bouche pour protester, mais cette fois encore
elle ne put placer un mot car son aînée enchaînait.

— Tu ne nous laisses jamais rester fâchées, Rachel et moi.
Et puis, regarde les choses en face, maman : tu n'as pas tant
d'amis que ça.

— Mais si ! protesta-t-elle, outrée. Bien sûr que si. J'ai
plein d'amis.

— Oui, mais pas des amis hommes.

On aurait cru entendre se chamailler les filles !

Humiliée par l'amusement qu'elle lisait dans les yeux de Harry, elle trouva une voix plus mature pour reprendre :

— Quoi qu'il en soit, M. Whitcomb a du travail. Je suis sûre qu'il ne peut pas…

— Bridget et Cecilia, les propriétaires du salon de thé, m'ont invité, interrompit-il avec un sourire satisfait. Je file prendre une douche et je reviens.

— Vous pouvez vous asseoir avec moi si maman est encore fâchée, proposa Rachel en se suspendant à son bras. Tu es fâchée, maman ?

Elle attendait une réponse, et Harry aussi, qui souriait de plus en plus largement.

Oubliant les filles, elle s'adressa directement à lui :

— Je n'ai jamais été en colère, dit-elle avec une certaine raideur. Plutôt blessée. Démolie, en fait.

Il ne souriait plus. Elle attendit qu'il lui renvoie l'accusation, mais comprit qu'il ne le ferait pas devant les enfants. Et il la surprit encore plus en disant avec beaucoup de sentiment :

— Je comprends ça, crois-moi.

La porte s'ouvrit et l'un des adjoints passa la tête à l'intérieur.

— Madame le maire, on n'attend plus que vous.

Comme elle l'avait déjà fait bien des fois, elle ravala son émotion, repoussa ses souvenirs et endossa son personnage public.

— Merci d'avoir aiguillé les filles, dit-elle très poliment à Harry. A tout à l'heure.

Ce fut une inauguration comme beaucoup d'autres. Un adjoint fit un discours sur la nécessité de créer un environnement propice à l'installation de nouvelles entreprises à

Maple Hill, un autre parla de préserver la beauté naturelle du site tout en dynamisant l'économie.

Le discours de Jackie, plus personnel, se concentra sur Cecilia Proctor et Bridget Malone, deux belles-sœurs qui, maintenant que leurs enfants étaient partis vivre leur vie, avaient choisi de lancer ensemble une entreprise. Toutes deux étaient très actives dans la vie de la commune ; elle était heureuse de pouvoir louer leur dévouement et de leur souhaiter bonne chance…

La fanfare de la petite université joua quelques morceaux très gais ; encadrée par ses filles, elle s'avança pour couper le ruban et la petite foule pénétra dans l'établissement.

Lui saisissant le bras, Bridget l'entraîna vers le buffet de desserts installé sur le long comptoir. Elle se retourna pour s'assurer que ses filles la suivaient et les vit près de la porte, en train de parler avec Haley. Son amie lui fit signe ; rassurée, elle se laissa placer en tête de la file qui s'étirait déjà jusqu'au trottoir.

— Si vous ne vous étiez pas battue pour nous, chuchota Bridget en lui serrant amicalement le bras, M. Brockton aurait insisté pour garder le local pour « une activité qui exploiterait ses possibilités au maximum », cita-t-elle. Un fast-food, ou un supermarché ! Alors, c'est vous qui goûterez nos spécialités la première.

John Brockton, chef de file du mouvement anti-Jackie à la mairie, s'opposait systématiquement à toutes ses décisions. Petit, à moitié chauve, les yeux sombres et perçants, son éternel sourire ne faisait rien pour masquer une nature désagréable. Lorsqu'elle avait accordé l'autorisation aux deux belles-sœurs d'ouvrir un salon de thé, Jackie savait que le frère de Brockton guignait aussi ce local pour établir un fast-food. Et lorsque le siège social de la chaîne de fast-food avait appris qu'il devrait s'installer sur la grand-route plutôt que sur la place centrale de Maple Hill, les pourparlers étaient tombés à l'eau.

— Ça ne vous ennuie pas, n'est-ce pas, M. Brockton que Jackie goûte la première nos spécialités ? demanda Bridget d'un air ingénu.

— Bien sûr que non ! s'écria-t-il à haute et intelligible voix.

Puis, dès que Bridget se fut éloignée, il ajouta très bas :

— Madame le maire a tous les privilèges, elle obtient toujours ce qu'elle veut.

Et avec une conviction qui la glaça, il ajouta, l'air mauvais :

— Mais cela ne tardera pas à changer. Attendez un peu et vous verrez.

Cecilia, derrière le comptoir, offrit à Jackie la première assiette d'échantillons de pâtisseries, elles échangèrent quelques phrases. Ecartant de son esprit la voix menaçante de son adjoint, Jackie se concentra sur son rôle de marraine de cette inauguration. Ce devoir rempli, elle s'écarta du buffet, assiette dans une main, tasse de moka décaféiné couronné de crème fouettée dans l'autre, et chercha ses filles dans la foule. Tout de suite, elle repéra Rachel qui dominait tout le monde de la tête et des épaules. Un instant, elle se figea, catastrophée. Ce serait tout à fait son genre de se mettre debout sur une table pour la chercher. Pourtant, même debout sur une table, elle ne serait pas aussi grande...

Elle la trouva assise, très à l'aise, sur les épaules de Harry.

— Ici, maman ! lançait-elle en agitant la main. On est ici !

Jackie s'avança, déterminée à ignorer la séduction de l'homme qui portait sa fille. Il s'était changé et portait un pantalon gris et un pull. Ses cheveux sombres bien peignés mettaient en valeur son visage aux traits affirmés.

Dès qu'elle les rejoignit, il détrôna Rachel de ses épaules et la déposa devant une table entourée d'une banquette en demi-lune. Agile, la petite se faufila jusqu'au milieu de la banquette et tapota la place près d'elle.

— Tu viens, maman ?

Lui prenant son assiette des mains, Harry s'écarta pour la laisser s'installer, un processus assez laborieux depuis qu'elle avait quadruplé de volume. Puis il prit place au bout de la banquette.

— Erica est avec Haley, dit-il. Elles nous ont demandé de garder la table et en échange, elles apporteront nos assiettes. Rachel et moi, nous commençons à nous demander si nous avons bien fait. Tu crois qu'on peut leur faire confiance, avec des gâteries aussi délicieuses ?

— Mais oui ! repartit-elle en feignant une décontraction qu'elle était très loin de ressentir.

Elle poussa son assiette vers Rachel, qui choisit, les yeux brillants, un petit gâteau carré couvert de crème onctueuse.

— Harry ? lança-t-elle en lui proposant l'assiette à son tour.

Un instant, il sembla surpris, puis choisit un cookie en forme de cylindre fourré au chocolat.

— Merci.

— De rien.

Ils s'étudièrent mutuellement avec un brin de méfiance, et semblèrent arriver à la même conclusion : le moment était mal choisi pour renouveler les hostilités. Pourquoi ne pas fêter paisiblement cette inauguration ?

Mordant dans son cookie, Harry laissa échapper un grogne-ment approbateur et le termina en deux bouchées, pendant que Jackie attaquait avec sa fourchette une sorte de brownie couvert de mousse de chocolat blanc.

— On a déjà tué pour moins que ça, gémit-elle en dégustant un morceau, les yeux clos.

Détachant une autre bouchée, elle la proposa à Rachel.

— Miam ! cria la petite, la gobant comme un oisillon.

Elle découpa un autre morceau et se tourna vers Harry, comptant lui passer sa fourchette… Elle se heurta de plein fouet à son regard. Le souffle coupé, elle sentit sa présence emplir tous ses sens, comme son grand corps remplissait l'espace autour de la table… Curieusement, la sensation n'était pas désagréable.

Il ne fit pas un geste pour prendre la fourchette ; son regard la mettant au défi de lui glisser la bouchée entre les lèvres comme elle l'avait fait pour sa fille.

Sans se laisser le temps de réfléchir, elle acheva son geste et les solides dents blanches de Harry se refermèrent sur la petite fourchette. Dans son regard, elle lut une certaine surprise, comme s'il était en train de réviser ses positions.

— Nous voilà !

Haley venait de se matérialiser près de la table, flanquée d'Erica, chacune chargée de deux assiettes. La petite fille ne pensait qu'à distribuer les friandises, mais le regard de Haley s'attarda sur Jackie, puis sur son frère. Jackie laissa vite choir sa fourchette sur son assiette et cacha sous la table ses mains qui tremblaient un peu.

— Ça suffit, vous deux, dit-elle d'une voix excédée, comme si Rachel et Harry picoraient dans son assiette sans sa permission. Le reste est pour moi.

Haley se glissa près de Rachel, Erica près de Harry. Bridget arriva sur leurs talons avec un plateau de thé.

— Nous y voilà ! chantonna-t-elle en distribuant des tasses aux dames et une grosse chope de porcelaine à Harry. Est-ce que cela va vous convenir, Harry, ou vous préférez boire autre chose ?

Un arôme d'orange et de clous de girofle montait des tasses.

— C'est parfait, répondit-il. Merci, Bridget.

— Bien ! Je vous ferai goûter le tiramisu dès que la cuisine nous l'enverra.

Reprenant son plateau, elle lança un petit signe de connivence à son associée derrière le comptoir et les quitta.

— C'est quoi, ça ? demanda Rachel, le nez froncé, en examinant le contenu de son assiette.

Jackie, qui avait eu le temps de se reprendre, répondit :

— A mon avis, c'est un gâteau imbibé de kahlùa et couvert de crème fouettée.

— C'est quoi, le *clua* ?

— Kah-lu-à. C'est de l'alcool, une liqueur au café. On peut en mettre dans son café, ou le mélanger à d'autres boissons.

— Si ça a déjà un goût de café, pourquoi est-ce qu'on en met dans le café ? Ça fait beaucoup, non ?

— Oui, mais c'est délicieux.

Préférant endiguer le flot de questions supplémentaires qu'elle sentait venir, elle dirigea l'attention de Rachel sur un cookie rond couvert de sucre glace.

— Essaie celui-là, proposa-t-elle. Tu vas adorer.

— Moi, j'adore cet endroit, maman ! s'écria Erica en brandissant un macaron. Celui-ci, c'est à la noix de coco ?

Comme Jackie hochait la tête, elle goûta avec prudence, eut un sourire ravi et le termina avec gourmandise. Se tortillant voluptueusement sur son siège, elle mâcha longuement, le regard fixé sur sa mère comme pour retenir son attention en attendant de pouvoir parler. Dès qu'elle eut avalé, elle s'écria :

— Pour mon anniversaire, est-ce qu'on peut venir ici à la

place de la pizzeria ? Avec mes copines, on viendrait boire le thé et manger des gâteaux. Nous sommes grandes maintenant, je vais avoir onze ans !

— Oui, c'est vrai, c'est bientôt, dit Haley. En mars, c'est ça ?

— Le 20, répondit Erica. Et au lieu d'aller voir un film, on pourrait faire quelque chose de plus adulte.

— Le ménage ? la taquina Jackie. Un tour à la bibliothèque ?

Sa fille lui jeta une grimace.

— Très drôle, maman. Non, je pensais... on pourrait aller à Boston faire du shopping ! Pépé m'envoie toujours de l'argent pour mon anniversaire. Rachel a sa robe toute floue pour Pâques, mais moi, je n'ai rien du tout.

Plaidant sa cause, elle se tourna vers Harry en clamant :

— J'ai grandi de quatre centimètres depuis le mois de septembre !

— Effectivement, ça mérite une excursion de shopping, convint-il, mais quand le bébé doit-il arriver ?

— Le jour des impôts, répliqua Haley avec une petite grimace. Le 15 avril. Ecoute, ma grande, je crains que ta mère n'ait pas l'énergie d'arpenter les rues de Boston pour ton anniversaire.

Erica eut à peine le temps d'être déçue, car le visage de Haley s'éclaira et elle se retourna vers Jackie en s'écriant :

— Mais moi, je pourrais le faire ! Je pourrais emmener Erica et ses copines faire du shopping. On commencerait par prendre le thé ici ; ensuite, toi, tu rentrerais te reposer et je me chargerais de la sortie à Boston.

— Super ! s'exclama Erica. Dis oui, maman, dis oui !

— Je suis d'accord, répondit Jackie en souriant à son amie. Du moment que tu emmènes un commando de marines. Parce que si tu comptes prendre en charge huit filles de dix ans...

— Onze ans ! la corrigea Erica.

— Elle pourrait emmener Bart, suggéra Harry.

— Excellente idée. C'est décidé.

Haley abattit sa main sur la table, si fermement que la vaisselle tressauta. Chacun se hâta de saisir sa tasse.

— Du calme, frangine, gronda Harry. On ne va pas casser la vaisselle le jour de l'ouverture.

— Désolée. C'est juste de l'enthousiasme.

Les pâtisseries terminées, une seconde théière vidée, Haley chassa Erica hors de la banquette.

— Bon, les filles, on y va ! J'emmène les petites au journal, Jackie, j'ai des prospectus à leur faire plier pour la prochaine édition. Ne t'en fais pas pour leurs robes, je leur mettrai des tabliers. Harry, tu veux bien raccompagner Jackie chez elle ? elle n'a pas de voiture car elle est venue dans la mienne.

— Mais je croyais qu'on faisait des courses et qu'on déjeunait ensemble, protesta Jackie.

Son amie secoua la tête en rassemblant ses affaires.

— Après ce qu'on vient de manger ici ? On déjeunera un autre jour.

— Je la ramènerai chez elle, promit Harry.

Jackie les regardait tour à tour avec méfiance. Que manigançaient-ils, tous les deux ? On était samedi ! Elle passait toujours ses week-ends avec les filles.

Harry se glissa hors de la banquette ; à son tour, elle entreprit de manœuvrer son corps énorme. Ils étaient tous plantés là à l'attendre…

Harry esquissa un geste pour lui tendre la main, mais elle l'écarta comme on chasse une mouche.

— Ce n'est pas rapide, mais je finis toujours par y arriver, lâcha-t-elle, le souffle court. C'est comme de sortir le premier cornichon du bocal.

On n'était qu'en milieu de matinée et elle se sentait déjà

épuisée. Quand elle atteignit le bord de la banquette, Harry lui saisit le bras pour la hisser sur ses pieds et cette fois, elle ne protesta pas. Le moindre geste lui demandait tant d'efforts, depuis quelque temps !

— Quand avez-vous décidé ce changement de programme ? demanda-t-elle.

— Pendant qu'on faisait la queue, répondit Haley.

Il y avait bien un complot ! Du moins de la part de Haley. Car, si elle regardait Jackie bien en face, elle évitait soigneusement le regard de son frère.

— Erica m'a dit que vous vous retrouviez ici tous les deux pour réparer une vieille querelle. Nous vous laissons le champ libre, voilà tout. Vous pourrez assainir l'atmosphère en réglant cette question une fois pour toutes.

Consultant sa montre, elle conclut :

— Il est 10 h 30. Je te ramènerai les filles à 13 heures. Vous pensez pouvoir rétablir une communication positive en deux heures et demie ?

Ni Jackie ni Harry ne trouvèrent de réponse.

— Très bien ! s'écria-t-elle, exactement comme s'ils avaient acquiescé avec enthousiasme. A plus tard, alors. Venez, les filles.

Elles s'éloignèrent en gloussant.

Sans regarder Harry, Jackie articula :

— Depuis que ta sœur a réglé ses problèmes et trouvé l'amour, elle est devenue insupportable.

— Elle a toujours été insupportable, tu ne t'en es pas rendu compte auparavant parce que ça ne s'était encore jamais dirigé contre toi, c'est tout. Bon, voilà Bridget. Allons la remercier.

Il la précéda vers le comptoir, se plaçant entre elle et les personnes qui risquaient de la bousculer.

Bridget embrassa Jackie puis Harry.

— Mais… vous vous fréquentez, tous les deux ? demanda-t-elle, prête à s'attendrir.

Le niveau sonore étant ce qu'il était, elle devait crier pour se faire entendre. Se penchant plus près pour éviter de trop élever la voix, Jackie articula :

— Nous étions au lycée ensemble.

— Ah ! s'écria Bridget, enchantée. C'est merveilleux de redécouvrir un amour d'adolescence !

D'une voix ferme, Jackie coupa court à l'épanchement qu'elle sentait venir de la part de Bridget et la remercia pour son accueil avant de promettre de revenir.

— C'est une très bonne idée ! Nous avons un assortiment spécial pour les amoureux. Une seule assiette, deux fourchettes, et nos gâteries les plus craquantes. Passez une bonne journée tous les deux ! Merci d'être venus.

Harry réussit à leur frayer un chemin jusqu'à la porte. Une fois sur le trottoir, Jackie respira profondément et exhala un gros nuage blanc dans l'air glacé.

— Je regrette un peu de quitter ces bons arômes de pâtisserie, confia-t-elle en remontant le col de son manteau, mais je suis contente d'avoir la place de respirer un peu. Si elles ont autant de monde chaque jour, elles pourront prendre leur retraite dès l'année prochaine !

Harry la regardait sans répondre. Elle comprit qu'il ne se laisserait pas entraîner sur d'autres sujets de conversation.

Harry lut de la réticence dans le regard de Jackie. Comment allait-il contourner l'obstacle ? Autant qu'il puisse s'en souvenir, rien ne « fonctionnait » jamais avec Jackie : soit elle était d'accord, soit elle ne l'était pas. Si elle l'était, son soutien éclairait tout, simplifiait tout. Dans le cas contraire, elle était capable de le regarder froidement se débattre contre les obstacles et même, si elle attachait de l'importance à la question, de se mettre en travers de son chemin.

Eh bien, on n'obtenait rien sans prendre des risques !

— Je te raccompagne ? proposa-t-il. Ce n'est pas parce que Haley et les filles nous ont manœuvrés que nous sommes obligés de faire ce qu'elles veulent. Si nous le voulons, nous pouvons parfaitement rester ennemis.

Au mot « ennemis », le regard de Jackie se leva vivement vers le sien.

— Ennemis, répéta-t-elle en fronçant les sourcils. Tu nous vois comme des ennemis ?

« Gagné ! » jubila-t-il.

Prenant bien garde de ne pas montrer sa satisfaction, il demanda d'un ton léger :

— Que dirais-tu que nous sommes, tous les deux ? Tu veux en parler, histoire de nous mettre d'accord sur une définition ?

Avec une brève grimace, elle étira ses épaules, puis son dos.

— Non, avoua-t-elle. Mais mes deux pipelettes vont me poser des questions, et je ne leur mens jamais. Je cherche aussi à leur inculquer des principes, et je leur ai toujours dit qu'on ne devait jamais se disputer sans chercher à se réconcilier le plus vite possible.

Levant vers lui un regard désapprobateur, elle grogna :

— Rien de tout cela ne serait arrivé si tu ne leur avais pas dit que nous étions fâchés, tous les deux.

— Je regrette, mais ta fille s'est lancée dans un véritable interrogatoire, et je n'ai pas pu lui mentir non plus. Elle m'a demandé si j'étais ton ami, et il m'a semblé que tu ne voudrais pas que je dise oui. Si je disais non, il allait encore falloir expliquer pourquoi. Alors, j'ai voulu faire simple.

Elle hocha la tête.

— Rien n'est jamais simple avec les enfants ! Tu veux venir à la maison ?

— D'accord, dit-il d'un ton désinvolte. Ma camionnette est par ici.

Il déverrouilla les portières, sortit le tabouret dont il se servait pour sa mère et le lui présenta.

— Merci ! s'écria-t-elle, surprise et ravie. Je me demandais comment j'allais faire pour me hisser là-haut.

« Moi aussi », pensa-t-il, très satisfait de sa stratégie.

Il devait absolument en savoir davantage sur l'impulsion qui l'avait poussée à lui glisser ce morceau de pâtisserie dans la bouche. Pour lui qui ne considérait pas la nourriture sous un jour particulièrement érotique, cet instant avait été… électrique.

Depuis dix-sept ans, il pensait souvent à Jackie et rêvait même parfois que, un jour, elle viendrait le trouver. Chaque fois, à ce stade de sa rêverie, sa colère se réveillait et il stoppait net le film. Pas question de faire marche arrière, elle l'avait suffisamment blessé !

Pourtant, il sentait qu'elle était attirée physiquement par lui. Il sourit intérieurement. Elle aurait beau faire comme s'il ne se passait rien, elle ne savait pas encore à qui elle avait affaire. Il ne supportait pas de tourner le dos à un problème non résolu. A la Nasa, il passait son temps à déjouer les pièges de la météo et les règles de la physique. Il saurait cerner ce qui se tramait dans son cœur.

5.

La maison de Jackie était exactement telle qu'il l'avait imaginée, une maison victorienne jaune pâle, avec des huisseries bleu ciel et quelques accents bleu roi sur le cadre intérieur des fenêtres et la porte d'entrée. Sur la véranda, des jardinières étaient remplies de choux d'ornement, dans un dégradé de couleurs du vert le plus profond au rose le plus tendre. Sous ce climat, ces plantes étaient les seules capables de passer l'hiver à l'extérieur.

A l'intérieur, les pièces s'ouvraient les unes sur les autres, élégantes et bien rangées : un living, une salle à manger, une sorte de bibliothèque aménagée en bureau. Des volumes harmonieux, des cheminées et de hautes fenêtres, une ambiance chaleureuse et sereine. Avec ces sièges tapissés de chintz et ces vases de fleurs, le décor était délicat, féminin, un peu rétro. Harry fut un peu surpris de se sentir tout de suite à son aise.

Elle retira son manteau, révélant une robe de laine verte à décolleté rond qu'il n'avait fait qu'entrevoir au café. Le précédant dans le bureau, elle lui indiqua un petit canapé bleu et s'enfonça dans un fauteuil assorti, retirant ses chaussures et posant, l'un après l'autre, ses pieds sur un pouf. Laissant aller sa tête contre le dossier, elle exhala un soupir si profond qu'il ressentit son soulagement dans son propre corps.

Avec toute la décontraction dont il était capable, il s'installa sur le canapé.

— Je ne nous vois pas comme des ennemis, non, dit-il, exactement comme si elle venait de poser la question.

— Tu as pourtant dit que c'était notre choix de nous considérer comme tels.

— Nous avions fait ce choix, et je t'en ai effectivement voulu pendant longtemps. Ce n'est plus le cas.

— Pourquoi pas ? demanda-t-elle.

Puis avec un petit sourire, elle précisa :

— Moi, il m'arrive encore de rêver que je t'assassine.

Quelle part de sérieux, quelle part d'humour y avait-il dans cette affirmation ? Il n'était pas très sûr de vouloir le savoir. En se retrouvant nez à nez avec elle dans ce fichu couloir, après dix-sept ans de silence, sa colère s'était réveillée la première, intacte, toujours aussi brûlante — et pourtant, il avait pressenti autre chose.

Jackie était toujours, pour lui, l'Unique. Une partie au moins de ses anciens sentiments survivait. Sur le moment, il ne voulait pas les retrouver aussi vivaces, et se sentait presque trahi par ce qu'il percevait comme une incompréhensible faiblesse de sa part. Depuis, il avait beaucoup réfléchi et il était parvenu à deux conclusions : il aimait Jackie comme au premier jour, et un amour aussi tenace méritait d'aboutir. Maintenant, il était déterminé à la reconquérir.

Il était temps de répondre à sa question. Choisissant ses mots avec soin, il commença :

— Je suppose que la rancune s'use avec le temps. Nous nous sommes quittés si jeunes, il y a si longtemps. En comparaison avec tout ce qui nous est arrivé depuis, ça ne pèse plus guère dans la balance. Tu t'es mariée, tu as eu des enfants et moi, j'ai vécu dans l'atmosphère raréfiée de la recherche spatiale. Nous ne somme plus les mêmes personnes.

— Non. C'est vrai.

Il releva une certaine tristesse dans sa voix. Effectivement, pensa-t-il avec compassion, sa situation n'était guère enviable : seule avec deux enfants, un nouveau bébé dans six semaines, veuve d'un mari infidèle…

Il se secoua.

Elle s'était mise elle-même dans ce pétrin en faisant le mauvais choix, lui souffla une petite voix rancunière. A elle d'assumer maintenant ! Puis tout de suite, une impulsion plus généreuse le poussa à lui rappeler le côté positif.

— Ma mère organise un groupe des dames du temple pour t'aider pendant quelques semaines après l'arrivée du bébé.

— Je sais, oui, dit-elle avec un sourire attendri. Elle est très gentille. Tu savais qu'elle anime le groupe d'Ecole du dimanche des filles ?

Il lui rendit son sourire.

— Elle me l'a dit. Elle compte même se servir d'elles pour tout savoir de nos rencontres. Je lui ai affirmé que nous avions rendez-vous aujourd'hui, alors que je pensais encore que nous ne nous adresserions pas la parole…

Voyant sa surprise, il tenta de s'expliquer :

— Elle cherche perpétuellement à me trouver une femme. Cette fois, c'était la nièce d'une amie. J'ai dû réagir vite, trouver quelque chose pour l'empêcher de me jeter dans les bras de cette nièce.

— Tu ne devrais pas lui donner de faux espoirs, protesta-t-elle, mi-amusée, mi-inquiète. Elle ne nous laissera plus en paix ni l'un ni l'autre.

— Il n'y a pas de raison que je sois le seul à me faire harceler. Après tout, c'est toi qui as changé d'avis.

Cela, il n'avait pas eu l'intention de le dire. Le reproche, aussi léger soit-il, révélait des abîmes de rancune sur lesquels il aurait préféré ne pas se pencher.

Instantanément, elle se hérissa.

— C'est toi qui ne m'as pas laissée m'expliquer, protesta-t-elle, quittant sa pose détendue et confiante pour se redresser brusquement. J'avais peut-être une raison ? Mais ça, tu ne peux pas le savoir, parce que tu ne t'y es jamais intéressé.

Ses yeux jetaient des éclairs, aussitôt, une vague de fureur se leva en lui. Lui qui venait juste d'affirmer qu'il avait suffi-samment mûri pour oublier le passé ! Manifestement, il ne suffisait pas de le dire. Il allait devoir se montrer malin et très patient.

Ravalant sa colère, il demanda d'une voix égale :

— Tu veux m'expliquer maintenant ?

L'indignation de Jackie sembla retomber, elle aussi.

— Ça n'a plus beaucoup d'importance, soupira-t-elle.

— Nous sommes censés remettre les compteurs à zéro, rappela-t-il. Haley et tes filles vont t'interroger, et ma sœur me rendra la vie impossible si je ne fais pas un effort.

Jackie chercha une réponse acceptable. C'était trop injuste ! Elle n'avait pas provoqué cette situation, ne tenait pas du tout à se réconcilier avec lui parce que, alors, elle devrait s'ex-pliquer et cela, c'était absolument impossible. Jamais elle ne parviendrait à se justifier d'une façon qu'il puisse admettre ou même comprendre !

En même temps, elle ne pouvait pas renier le lien qui les attachait encore l'un à l'autre. Au salon de thé, il avait réveillé le désir qu'elle avait connu pour lui, mais cela, c'était presque accessoire puisqu'ils ne pourraient jamais redevenir amants. Remettre les compteurs à zéro ? Au fond, ce serait peut-être une bonne chose.

Ce qui était arrivé après son départ était irréparable, mais du moment qu'il n'en savait rien… Et puis, cela remontait à si longtemps, pourquoi s'en vouloir encore aujourd'hui ? Pourquoi ne pas se pardonner la façon dont ils s'étaient quittés, et reprendre chacun le fil de leur existence ? Ce serait un tel soulagement de ne plus paniquer chaque fois qu'elle le verrait !

Elle allait donc devoir inventer quelque chose pour expliquer pourquoi elle avait choisi de ne pas le suivre, sans révéler ce qui s'était passé ensuite. Quelle raison donner ? Rien ne lui venait et Harry attendait, surpris par son silence.

Pressée de dire quelque chose, n'importe quoi, elle lança :

— Tu avais parfaitement raison. J'avais une vie très agréable ici : des parents indulgents, une foule d'amis, j'étais acceptée à l'université de Boston… Je croyais t'aimer, mais je ne me voyais pas renoncer à tout cela. Je me suis dit que tu aurais une meilleure chance de réaliser tes rêves si tu ne traînais pas un boulet au pied. Je voulais sincèrement ne pas te retenir, mais je pensais aussi à moi.

Elle attendit une réaction de mépris, peut-être de colère.

Il approuva de la tête, l'air toujours aussi serein et ouvrit la bouche à son tour :

— Tu avais sans doute raison. Mes années d'études n'ont pas été faciles, peu de mariages tiennent la route dans ces conditions. Je t'en ai voulu très longtemps parce que ta décision me semblait dirigée contre moi, mais en fait, c'était surtout une question de bon sens. Je t'avouerai tout de même que ça m'a fait très mal. Si mal que j'ai mis très longtemps à l'accepter.

Il se leva, un peu nerveux, et se mit à parcourir cette pièce si agréable avec ses rayonnages de livres, ses beaux meubles confortables et les hautes fenêtres qui s'ouvraient sur une pelouse grande comme un mouchoir de poche et une aubépine nue sous la neige.

— Deux ans après mon diplôme, j'aurais pu t'acheter un château, mais je n'aurais pas pu y vivre avec toi. Je travaillais jour et nuit. Un peu plus tard, quand j'ai enfin eu un minimum de loisirs, je les passais avec d'autres ingénieurs et nous ne parlions que de l'espace. Tu as eu ton confort et ta sécurité, tu n'as pas été lésée. Tu as eu raison de rester.

C'était généreux de sa part, pensa-t-elle. Pourquoi alors ressentait-elle ce pincement d'irritation ? Il lui pardonnait, ils pouvaient en rester là… mais c'était humiliant.

Et puis, après avoir été forcé de vivre sans elle pendant tout ce temps, il ne devrait pas pouvoir dire, d'une voix aussi tranquille : « Tu as eu raison de rester. »

— Tu as dit des choses assez brutales, sur le moment, lui rappela-t-elle.

Sa nervosité était contagieuse. Elle se leva à son tour et fit quelques pas, sans penser à remettre ses chaussures. Il interrompit son examen de la pièce pour se retourner vers elle.

— C'est vrai, dit-il. Je regrette.

— Ça m'a fait mal, insista-t-elle, de plus en plus exaspérée.

Il hésita un instant, elle vit un pli se former entre ses sourcils, mais sa voix resta calme quand il répéta :

— Oui, sûrement. Je regrette.

— Oui, eh bien, ça ne m'a pas aidée quand tu es parti en claquant la porte, sans même m'écouter.

Elle se tut brusquement, lui tourna le dos et se dirigea vers la fenêtre. Elle ne comprenait pas sa propre attitude : même si l'explication qu'elle lui donnait n'était pas la bonne, il se montrait réellement généreux. Ils pouvaient faire la paix, se croiser dans les couloirs de la mairie sans tension. Adeline et Haley seraient contentes, les filles aussi.

Alors où voulait-elle en venir, pourquoi remuait-elle le passé ? La voix de Harry la tira de ses pensées confuses.

— Excuse-moi, dit-il d'une voix un peu plus coupante,

mais est-ce que tu ne viens pas d'admettre que tu m'as mis le cœur en charpie par pur égoïsme ? Je suis prêt à tout oublier, et tu veux encore me harceler parce que, sur le moment, je me suis mis en colère ?

Une tension bizarre montait en elle. Elle en comprit la raison en se souvenant d'un détail de son explication, l'unique vérité dans ce tissu de mensonges. Sans l'avoir décidé, elle se retourna d'un bloc et l'émotion qu'elle réprimait depuis tant d'années jaillit dans un flot de paroles :

— Eh bien, moi, je suis en colère *maintenant* ! explosa-t-elle. Je t'ai laissé partir pour que tu puisses réaliser tes rêves, pour que tu sois libre d'obtenir tout ce que tu voulais, et qu'est-ce que tu en as fait ?

En chaussettes sur le tapis persan, elle ne lui arrivait même pas au menton. Médusé, il la fixait comme s'il doutait de sa santé mentale.

— Quoi ? exigea-t-elle. Réponds-moi !

Elle le vit réfléchir à sa question.

— Eh bien… j'ai réalisé mes projets. J'ai vécu mes rêves.

— Oui, bien sûr, clama-t-elle, mais ensuite, tu es revenu ! J'ai vécu dans une solitude totale, j'ai traversé l'enfer avec un mari qui se fichait de moi comme de l'an quarante et regarde ce que tu as fait : tu as renoncé et tu es revenu *ici*, à Maple Hill ! Alors, tout ce que j'ai fait dans ma vie, c'était pour rien ?

Il croisa les bras et l'étudia, l'air de plus en plus dépassé, mais toujours aussi calme. Il était déjà comme cela quand ils étaient adolescents. Plus elle s'énervait, plus elle devenait irrationnelle, plus il se montrait calme et raisonnable.

— Je n'ai pas renoncé, corrigea-t-il. J'ai accompli tous mes objectifs sur le plan professionnel, et puis j'ai compris que je n'avais encore rien fait sur le plan personnel, affectif.

Je croyais te l'avoir déjà expliqué. Je n'ai pas renoncé à quoi que ce soit, je reprends juste au commencement. De toute façon, tu viens de dire que ta décision était égoïste : tu es restée parce que tu voulais rester sur ton terrain familier, confortable et sécurisant.

Elle plongea son visage dans ses mains, vaincue par sa propre logique.

— Tout aurait été beaucoup plus facile pour nous deux si tu avais recommencé ta vie ailleurs…, balbutia-t-elle.

Harry ne comprenait absolument pas le raisonnement de Jackie, mais il soupçonnait que la détresse dont elle faisait montre était liée au fait que, comme lui, elle découvrait que leur amour était encore vivace. Il lisait l'amour caché derrière la colère dans ses yeux. Tout cela devait se mêler en elle, de manière si inextricable qu'elle ne savait plus où elle en était.

Emu par cette tendresse torturée, il prit pourtant bien garde de ne pas se trahir.

De son côté, Jackie laissa retomber ses mains et se détourna pour enfiler ses chaussures.

— Ce que je dis ne tient pas debout, marmotta-t-elle.

Ses pieds gonflés refusaient d'entrer dans ses bottines, et elle n'arrivait pas à se baisser convenablement, gênée par son gros ventre.

— Assieds-toi, dit-il. Je vais t'aider.

Elle voulut l'écarter, mais il la poussa doucement dans son fauteuil et s'assit sur le pouf. Il ne la regarda pas, se concentra sur les chaussures qui ne tardèrent pas à capituler.

Il l'entendit murmurer :

— Au moins, tu n'auras pas eu à supporter les humeurs et la mocheté d'une femme enceinte…

— C'est pourtant ce que je fais, répliqua-t-il.

Levant les yeux, il ajouta avec un sourire d'excuse :

— A part la mocheté, bien sûr. Tu es très belle.

Ce fut son tour de le regarder comme s'il venait de perdre la tête. Se remettant debout, elle le précéda vers la porte.

Inquiet de sentir l'entrevue se terminer, il demanda :

— Que vas-tu dire à tes filles ? Et à Haley, et à ma mère ?

Elle se retourna, saisie.

— Moi ? Oh... je leur dirai que nous sommes réconciliés.

Elle lui ouvrait déjà la porte. Pas question de la quitter sans fixer de nouvelle rencontre.

Fermant son blouson, il objecta d'un air judicieux :

— Elles voudront une preuve.

— Quel genre de preuve ? grogna-t-elle en fronçant les sourcils.

— Je crois que tu devrais m'inviter à dîner, ou que nous devrions sortir un soir tous les deux. Si nous voulons qu'elles nous laissent tranquilles, il faut leur fournir une preuve irréfutable que nous sommes redevenus amis.

Manifestement, elle ne savait pas comment interpréter sa suggestion. Elle ne se doutait pas de ce qu'il lisait dans ses yeux, ne devinait pas l'amour qui s'était réveillé en lui !

A dix-huit ans, il avait tout gâché mais, cette fois, il saurait s'y prendre.

— Mauvaise idée, dit-elle.

Il se rabattit sur sa première tactique.

— Bon, d'accord. Je pensais juste que tu voudrais préparer ta réponse. Si elles m'interrogent, je leur dirai de s'adresser à toi.

Il ouvrit la porte, sortit sous la véranda. La neige tombait, magique et silencieuse, transformant les vieilles maisons en images de cartes de Noël.

— Bon, d'accord ! dit la voix derrière lui. Le week-end prochain ? Je suis vraiment débordée cette semaine.

Victoire ! Il regrettait bien un peu de devoir attendre une semaine entière, mais il savait qu'elle n'aurait pas le temps auparavant : à la mairie, on ne parlait que de la visite des délégués du Conseil du Massachusetts et de la Fondation pour les Sans-Abri. Ce groupe faisait un circuit dans l'ouest de l'Etat pour évaluer les besoins et les ressources des communes, et une réception était organisée à Maple Hill.

— Le week-end prochain, ce sera parfait.

Il se retourna vers elle et son cœur se gonfla de tendresse en la voyant adossée au chambranle de la porte, si petite et si pâle, frottant ses bras frileusement.

— Merci. Excuse-moi de m'être énervée. J'étais réellement bouleversée à l'époque et chaque fois que j'y repense, tout me revient. Tu as raison, bien sûr. Nous ne sommes plus les mêmes, ce serait ridicule de se cramponner à notre rancune.

Il lui tendit la main en souriant.

— Alors, nous sommes quittes ?

— Quittes, dit-elle en la prenant. Voilà une bonne chose de faite. Au week-end prochain.

— D'accord. Retourne vite à l'intérieur avant de prendre froid.

Il dévala les marches et partit sans se retourner.

Ainsi, elle tenait encore à lui, jubilait-il en roulant lentement à travers la petite ville. Quant à lui, tous ses doutes s'étaient envolés, il se sentait invincible.

Les souvenirs commencèrent à remonter. Le soir d'été, près du lac, où il l'avait serrée dans ses bras, stupéfait par la profondeur de ses sentiments, à la fois effrayé et enchanté par cette zone de douceur éperdue qu'elle créait au centre de lui, là où, comme les autres jeunes de son âge, il s'efforçait de s'endurcir.

Elle était la plus belle, la plus intelligente et pourtant, elle se tournait vers lui, s'appuyait sur lui. Le regard qu'elle posait sur lui le grandissait, et c'était le plus beau cadeau qu'on puisse lui faire.

Quelle ironie ! pensa-t-il en négociant avec prudence la petite route de campagne qui menait chez lui. En fin de compte, la force qu'elle avait su lui transmettre lui avait permis de partir, et de vivre sans elle.

Le temps des regrets était révolu. S'il ne pouvait pas changer le passé, il avait deux mots à dire à l'avenir.

Il saurait reconquérir Jackie, sa femme.

6.

Jackie passait en revue le buffet, installé sur une longue table dans l'ancienne salle de bal aménagée pour les réceptions. Les représentants de la Fondation pour les Sans-Abri, groupe constitué de fonctionnaires et de membres d'associations caritatives, arriveraient dans moins d'une heure pour fêter la construction d'un centre d'accueil pour les SDF, sur un terrain légué dans ce but à la commune.

Le précédent maire avait tenté de s'approprier les fonds pour la création du centre. Démasqué par Haley et Jackie, qui n'était à l'époque qu'une toute jeune membre du conseil municipal, il s'était retrouvé en prison.

Très aimée, Jackie venait de démontrer son intégrité et son dévouement aux intérêts de la commune, elle était mariée au descendant d'une famille fondatrice de la ville ; bref, elle représentait une valeur sûre. La population de Maple Hill, la jugeant à même de la sortir d'une situation embarrassante, lui avait demandé de s'installer dans le fauteuil vide du maire. Voilà comment elle s'était retrouvée à ce poste qu'elle n'aurait jamais envisagé de solliciter. Voilà également pourquoi elle tenait à ce que cette réception se déroule sans incident. Elle voulait rassurer la Fondation, lui montrer que sa ville avait les mains propres. L'honneur serait sauf… et les contributions au programme pour les sans-abri continueraient à arriver.

La réception durait depuis une demi-heure et tout se passait à merveille. Elle discutait avec Jeremy Logan, le nouveau directeur de la Fondation, lui expliquant comment la commune avait abrité ses SDF dans les églises pendant le blizzard qui avait paralysé la Nouvelle-Angleterre en janvier... quand les lumières clignotèrent. Logan leva les yeux vers le beau lustre ancien.

— Ne vous inquiétez pas, s'écria-t-elle avec une assurance qu'elle était loin de ressentir. Cela arrive souvent ! La chaudière vient sans doute de se mettre en marche. Ces anciens bâtiments...

Il approuva de la tête avec un sourire d'admiration.

— C'est une maison magnifique.

Puis, revenant à leur discussion, il reprit :

— Ce qui me surprend, c'est de trouver autant de sans-abri dans une si petite ville...

— Vous êtes bien placé pour savoir qu'il n'y a jamais eu autant de familles sans toit. Notre programme est plus complet que celui des communes avoisinantes, donc les personnes dans le besoin ont tendance à venir chez nous.

— Je vois. Je suis nouveau à ce poste, je prends encore mes marques. Comment vous y prenez-vous pour...

Il ne put achever sa question, car la salle se trouva brutalement plongée dans les ténèbres. Il y eut un instant de silence, puis un objet se fracassa sur le sol, une voix aiguë cria et un brouhaha remplit la grande salle.

Jackie comprit qu'elle devait agir très vite pour éviter la panique.

— M. Logan, avez-vous un briquet ? demanda-t-elle.

Elle entendit un froissement d'étoffe, puis une petite flamme bleue jaillit devant elle.

— Permettez-moi de vous l'emprunter.

— Bien sûr.

Posant sa tasse de café, il lui prit des mains son assiette de gâteau et lui donna le briquet. Autour d'eux, le tumulte s'apaisait déjà.

— Je compte sur vous pour retrouver mon gâteau en revenant, le taquina-t-elle.

Il lui sourit, et un petit murmure amusé parcourut le groupe qui les entourait. Brandissant le briquet, elle entreprit de traverser la salle. La scène était étrange : la grande salle obscure remplie de présences invisibles, le pâle halo d'un réverbère à la fenêtre d'angle…

Instinctivement, les invités s'étaient mis à chuchoter, la petite flamme vacillante éclairait des silhouettes fantomatiques qui s'écartaient pour la laisser passer. Parvenue devant la cheminée, elle alluma, une à une, les hautes bougies qui garnissaient deux candélabres.

Un « Ah ! » général salua l'éclosion de cette lumière très douce qui posait des touches dorées sur les visages et rendait son mystère à la vieille salle. Il y avait d'autres candélabres sur un meuble qu'elle alla allumer à leur tour et fut soulagée de voir que ses hôtes pouvaient au moins repérer le buffet et reconnaître leurs interlocuteurs.

L'étape suivante maintenant. Elle se dirigeait vers la porte à double battant menant à la galerie quand une voix chuchota à son oreille :

— C'est un désastre !

Brockton l'avait suivie, une lueur mauvaise dans l'œil. Elle respira à fond pour maîtriser une bouffée de colère. Une seule fois, une seule, elle aimerait que les choses se passent comme elle l'avait prévu. Une seule fois, elle aimerait pouvoir agir sans écouter ce type odieux distiller son venin.

— Nous devrions investir dans des réparations, travailler dans des conditions décentes, au lieu de bâtir des abris pour ceux qui ne contribuent strictement en rien à la vie de la commune.

— Nous venons de montrer que nous ne gaspillons pas les fonds publics en dépenses inutiles, répliqua-t-elle sèchement. Vous ne voudriez pas donner une impression erronée, n'est-ce pas ?

— Ne commencez pas à me faire la morale, vous savez très bien ce que je veux dire. Il n'y a pas tant d'argent à Maple Hill qu'on puisse le distribuer à ceux qui ne produisent rien. De toute façon, ce genre de panne ne devrait plus arriver maintenant que nous avons un électricien installé au sous-sol.

Elle avait beau se heurter à lui en permanence, elle fut abasourdie par son attitude.

— Où avez-vous appris votre philosophie du gouvernement ? La meilleure façon de juger une société est de voir comment elle traite ses membres les plus vulnérables. Et Harry n'est pas notre homme à tout faire ! Pour l'instant, la municipalité lui a uniquement demandé de remplacer les anciens plafonniers.

Il eut une petite exclamation de mépris.

— Je ne demande pas qu'on abatte les sans-abri, je dis juste qu'ils n'ont pas besoin d'un centre d'accueil chez nous. Quant à Whitcomb, il change les plafonniers selon un certain ordre et mon bureau est le dernier de sa liste. Moi, un adjoint !

— Je me demande lequel des deux s'est montré le plus désagréable ? Quant aux sans-abri, ces fonds leur ont déjà été attribués, et vous n'y pouvez rien. Pourquoi ne pas faire votre travail en tant que représentant de la commune ? Occupez-vous de nos invités et laissez-moi passer.

Il s'écarta et elle sortit en refermant les hautes portes derrière elle. La galerie était plongée dans le noir le plus complet. Rallumant le briquet, elle s'éloigna de quelques pas, sortit son portable et composa un numéro. Avec un peu de chance, Harry serait encore joignable. Elle ferma les yeux, un peu humiliée de devoir lui demander son aide…

— Je suis sur le coup, Jackie, répondit-il immédiatement. Le tableau central a sauté. Le traiteur a dû brancher plusieurs fours à la fois, nous avons des fusibles en vrac dans toute la maison.

— Tu vas pouvoir arranger ça ?

— Donne-moi dix minutes.

Ce fut un tel soulagement qu'elle dit spontanément :

— Je suis si contente que tu sois encore là. Je nous voyais déjà faire des torches avec les graminées décoratives de la galerie pour raccompagner les invités jusqu'à leurs voitures.

Il éclata de rire.

— Un peu primitif, mais très original. Tiens bon, la lumière va revenir. Il n'y a qu'un seul circuit qui soit réellement fichu, et c'est celui de l'escalier de service. Assure-toi juste que personne ne sortira par là.

— Merci, Harry.

— De rien.

Rassurée, elle retourna dans la salle de bal et annonça :

— Nous aurons de la lumière d'ici à une dizaine de minutes, grâce à notre nouvel électricien maison.

— Qui est-ce ? demanda une voix.

— Harry Whitcomb, répondit une autre.

— Alors ce sera dans cinq minutes !

L'optimiste eut raison. Elle venait juste de rejoindre Jeremy Logan quand la salle fut inondée de lumière. Il y eut quelques rires, on se retourna vers elle pour l'applaudir. Jouant le jeu, elle salua d'un air modeste, sachant qu'elle n'y était pour rien, et que c'était Harry qui avait tout fait…

— Je viens d'avoir une conversation très intéressante avec Haley Whitcomb, l'éditeur du *Maple Hill Mirror*, lui dit M. Logan en guise d'accueil à son retour près de lui.

— Et que vous a-t-elle dit ?

— Que vous avez beaucoup accompli, malgré un conseil municipal divisé et une réelle animosité de la part de certains adjoints. Que vous et elle, vous aviez pris l'ancien maire sur le fait quand il a tenté de s'approprier nos fonds.

— C'est exact.

Il hocha la tête, pensif.

— Vous savez, j'ai un ami aux Bâtiments historiques. Vous devriez vous adresser à eux pour obtenir des fonds pour moderniser les installations de votre mairie.

— Nous l'avons fait l'an dernier, mais ils n'ont rien voulu entendre. Vous comprenez, les agissements de l'ancien maire n'ont pas donné une image très reluisante de la commune. Je pense qu'ils se sont méfiés de nous.

— Puisque cette affaire est résolue, vous devriez faire une nouvelle tentative. Vous avez amplement démontré que vous gérez les fonds publics comme il faut ! Ecrivez-leur, et je parlerai du dossier à mon ami. Je crois que, cette fois, on ne vous dira pas non.

— C'est réellement gentil à vous, s'écria-t-elle. Je ne sais pas comment...

Il l'interrompit en secouant la tête.

— Les élus qui se mettent réellement au service de leur commune méritent de travailler dans de bonnes conditions. Je ferai mon maximum pour vous aider.

Jackie eut le sentiment d'avoir gagné un ami précieux pour Maple Hill.

La soirée terminée, elle raccompagna le groupe de la Fondation jusqu'à ses voitures. En se retournant vers la porte principale, elle reconnut Harry au centre d'un groupe d'hommes qui sortaient de la réception. Son bleu de travail contrastait avec les complets sombres et les chemises étincelantes des autres, mais ils riaient tous en se bousculant comme une bande de gamins.

Son mari n'avait jamais été comme ça. Tous ses amis étaient des hommes riches et rassis, qui ne prenaient plaisir à rien — à part avec des femmes qui n'étaient pas leurs épouses. Croisant son regard, Harry planta là ses amis et se hâta de la rejoindre. Les autres se dispersèrent en riant.

— Où est ton manteau ? demanda-t-il en lui prenant le bras pour l'aider à gravir le perron. Et que fais-tu à traîner sur un parking verglacé dans ton état ?

— Je fais toujours un tour sur un parking verglacé vers cette heure dans la soirée, répliqua-t-elle.

Elle le rabrouait par automatisme. C'était si inhabituel pour elle d'entendre un homme se préoccuper de son bien-être qu'elle ne savait comment réagir.

Ignorant sa réponse sarcastique, il demanda :

— Quand commence ton congé maternité ?

— Le jour de la naissance.

— Ce n'est pas un peu juste ? Tu n'as pas besoin de te préparer ?

Ils se retrouvèrent sur le perron, Harry lui ouvrit la grande porte d'entrée.

— Je suis déjà passée par là, soupira-t-elle.

Se retournant vers lui, elle se décida à lui faire une réponse plus cordiale :

— Ma valise est déjà prête, Haley et Bart prendront les filles chez eux. Tout est organisé.

— Ça ne m'étonne plus que cette municipalité soit si bien tenue, repartit-il en souriant. Tu rentres chez toi ?

— Dès que je serai remontée chercher mon sac et mon manteau.

— Je descends fermer mon bureau. Retrouve-moi ici, je t'accompagnerai à ta voiture.

— Mais non, voyons, je…

— Attends-moi, répéta-t-il en partant à grandes enjambées vers les marches du sous-sol.

Il revint à temps pour l'aider à enfiler son manteau.

— Où sont les filles ce soir ? demanda-t-il.

— J'ai une jeune fille pour les garder. Elle les prend à la sortie de l'école et reste avec elles jusqu'à mon retour. Elle me dépanne aussi quand j'ai des obligations le soir ou le week-end.

Lui prenant le bras, elle se dirigea vers la porte, précisant :

— D'ailleurs, elle sort avec un de tes « gars ». Un chauffagiste, je crois.

— Jimmy ? C'est un garçon bien, elle a du goût.

— Lui aussi. Elle est formidable, les filles l'adorent.

— Elle va réussir à s'occuper aussi du bébé ?

— Elle est prête à essayer ! Nous verrons bien. Je vais prendre un congé de quatre semaines. Si je faisais n'importe quel autre boulot, je pourrais demander davantage, mais je ne peux m'en remettre à personne d'autre pour faire mon travail.

Il n'y avait plus que deux voitures sur le parking : la camionnette de Harry et son monospace rouge vif. Elle serra son bras musclé plus étroitement pour traverser une large plaque de verglas.

— C'est un modèle à sept places, nota-t-il en examinant son véhicule. Commode pour les enfants.

— Je vais quelquefois chercher des clients de l'Auberge à l'aéroport. C'est bien d'avoir la place de mettre les bagages. Harry ?

— Oui ?

— Merci d'avoir réagi aussi vite ce soir. Tu as sauvé notre soirée.

— De rien, dit-il en lui tapotant la main. On peut compter sur les Gars de Whitcomb.

Elle ressentit le contact de sa main avec une telle intensité que le bébé lui-même réagit. Ce geste affectueux tout simple lui rappelait la richesse de l'amitié qu'ils partageaient dans leur adolescence… et la façon dont cette amitié s'était épanouie dans un sentiment qui avait fait d'elle une femme.

Un sentiment si absolu que Harry n'avait pas supporté la moindre esquive de sa part. Le jour du départ, l'ami l'aurait sans doute écoutée, mais l'amant était trop furieux pour entendre ce qu'elle cherchait à lui dire.

Ils avaient atteint sa voiture. Leur souffle restait suspendu entre eux dans le froid de la nuit. Elle se sentait bien, simplement parce qu'ils pouvaient enfin parler paisiblement.

— Pourquoi ne t'es-tu jamais marié ? demanda-t-elle. Tu n'as pas trouvé le temps ?

— L'envie plutôt. Je compte m'occuper de la question maintenant. J'ai réussi ma carrière, mais je suis encore à la case départ dans ma vie privée.

— Le mariage ne définit pas obligatoirement une vie privée, murmura-t-elle avec une petite grimace. Si j'avais dû me juger d'après le mien…

— Qu'est-ce qui la définit, alors ?

— La qualité d'amour que tu es prêt à donner, dit-elle sans hésiter. Et aussi ta capacité à garder l'espoir.

— Tu t'es accrochée à Ricky Boullois pendant quatorze ans et en fin de compte, ça n'a rien changé ?

— Non, convint-elle.

En parlant d'amour, elle ne pensait pas à Ricky mais, cela, Harry ne pouvait pas le comprendre ! Ils s'étaient revus pour tranquilliser leurs familles, et aussi pour se comporter en gens civilisés en redevenant amis. Cela, elle le souhaitait sincèrement, mais elle sentit aussi qu'à cet instant précis, appuyée contre sa voiture, abritée du vent par le grand corps de Harry qui la contemplait de ses yeux souriants, elle voulait davantage.

Eh bien, inutile de rêver, elle ne l'aurait pas ! Se redressant, elle déverrouilla la portière à l'aide de sa télécommande ; Harry passa le bras derrière elle pour l'ouvrir.

— Je vais te suivre jusque chez toi, proposa-t-il.

— C'est à deux pas.

Il fit mine de se détourner sans répondre. Sans réfléchir, elle saisit sa manche pour le retenir. Cela au moins, il devait le comprendre ; pour que leur amitié ait une chance de survivre, elle devait le tenir à distance.

— Ecoute-moi ! Personne ne te demande de me protéger, reprit-elle avec force. Tout le temps où j'ai été mariée avec Ricky, je me suis occupée de moi et des filles. Je suis intelligente, compétente, et je n'ai pas besoin qu'un homme me prenne sous son aile.

Il scruta son visage avec son regard d'autrefois. Un regard possessif qui lui réchauffa le cœur.

— Chaque femme a besoin qu'un homme tienne à elle, dit-il tout bas. C'est une loi de la nature. Tout comme chaque homme s'épanouit quand une femme s'intéresse à lui.

Il ne captait pas le message.

Elle allait devoir être encore plus claire.

— Nous n'allons pas avoir ce genre de rapports, assena-t-elle.

— Crois-tu ? répliqua-t-il sans cesser de sourire.

— Je le crois. Nous pouvons être amis, mais rien de plus.

— Je vois déjà autre chose dans ton regard.

Elle baissa les yeux, voulut se détourner, son propre volume et la position de Harry l'en empêchèrent. Elle n'avait plus qu'une option : lui tenir tête.

— Tu t'attaches à des souvenirs, insista-t-elle. C'est tout.

Au lieu de lui répondre, Harry se pencha vers elle pour plonger son regard dans le sien. Or, elle n'avait jamais pu lui cacher le fond de son âme.

— Pas du tout, murmura-t-il.

— J'ai une fille de dix ans et une autre de six, plaida-t-elle en désespoir de cause. Je suis enceinte de huit mois ! Mon visage est bouffi, mes chevilles gonflent et je marche en me dandinant comme un canard !

Lui prenant doucement le menton, il lui tourna le visage vers le réverbère le plus proche.

— Moi, je ne vois guère de différence avec la toute jeune femme dont je me souviens…

Le souffle coupé, elle le repoussa faiblement en gémissant :

— Harry, je ne suis même plus une femme !

Ce cri du cœur résonna dans la nuit ; elle eut le sentiment bizarre que ses paroles se cristallisaient dans le froid, qu'elles restaient suspendues au-dessus de leurs têtes.

Interloqué, il inclina la tête sur le côté.

— Comment ça ?

Elle soupira. Si seulement elle lui avait dit qu'elle devait encore travailler quelques heures ce soir, elle aurait évité toute cette discussion qui ne menait à rien.

— Je suis une mère, une gérante d'hôtel et une élue, tenta-t-elle d'expliquer. Je suis fatiguée, j'ai perdu mes illusions. Il ne reste plus rien en moi de la fille dont tu te souviens. Tu aimerais sans doute croire le contraire, mais tu te trompes. Crois-moi.

Cette fois, elle avait réussi à se faire entendre ! Un pli barrait le front de Harry, il scrutait attentivement son visage. Au moment où elle croyait tenir la victoire, il la saisit dans ses bras et l'attira contre lui. L'une de ses mains se noua dans ses cheveux, lui renversant la tête en arrière ; son regard plongea dans le sien. Elle fit un effort désespéré pour lui cacher ce qu'elle ressentait, pour redevenir celle qu'elle était avant qu'ils ne se heurtent dans ce maudit couloir du sous-sol...

C'était perdu d'avance, il lisait forcément le désir dans ses yeux ; un reflet de ses sentiments éclairait sûrement son visage. Elle vit un petit sourire s'épanouir sur ses lèvres. Un instant plus tard, sa bouche couvrait la sienne.

Même pour concevoir le bébé qu'elle portait, Ricky lui avait fait l'amour avec davantage de désir que d'affection, une demande plutôt qu'un partage. Harry l'embrassait avec tendresse et assurance, sans l'incertitude qui accompagne habituellement un premier baiser. Il était vrai que leur première étreinte remontait à dix-huit ans !

Bouleversée, elle franchit le gouffre des années et sentit les deux parts d'elle, celle d'avant, celle d'après, se rejoindre enfin. Comme si une ancienne blessure venait de se refermer, elle retrouva la continuité de son premier, de son unique amour.

C'était inexplicable, comment pouvait-il la chérir, malgré tout ? Il l'embrassait comme s'il la connaissait intimement, c'était un baiser qui la portait aux nues. Après dix-sept ans de solitude !

Emportée par l'émotion, elle lui répondit et ils basculèrent ensemble dans la passion. Elle sentit ses mains se promener sur son corps et malgré son manteau en lainage épais, ce fut comme si elle était nue.

Malgré elle, elle eut un mouvement de recul — elle était si grosse ! Il la retint, la pressa amoureusement contre lui, déclenchant une ruade de la part du bébé qui le fit reculer.

— Un baiser à trois, c'est nouveau ! commenta-t-il en riant.

Elle fut bien incapable de lui répondre. La stupéfaction et l'émotion lui verrouillaient la gorge.

— Je vais te suivre jusque chez toi, répéta-t-il, le souffle court. Et quand nous nous reverrons ce week-end, je ne veux plus t'entendre dire de telles bêtises. Toi, plus une femme ? Mais je rêve !

Il la soutint pendant qu'elle se hissait sur le siège du chauffeur, referma sa portière et se dirigea vers sa camionnette sans se retourner.

Le volant lui pressait désagréablement le ventre, mais si elle reculait davantage le siège, ses pieds n'atteindraient plus les pédales. Au fond, c'étaient ces petites difficultés, multipliées à l'infini, qui transformaient son quotidien en une succession perpétuelle d'obstacles. Son monde était devenu si terne, depuis si longtemps…

Mais depuis le baiser de Harry, le monde retrouvait ses couleurs, le paradis s'ouvrait devant elle… et elle ne pouvait pas y entrer. Un énorme sanglot gonfla dans sa gorge et elle martela le volant des deux poings. Une fois de plus, le bonheur ne serait pas pour elle.

Si Harry s'obstinait, elle devrait tout lui dire et elle le perdrait encore une fois.

D'autant plus qu'elle savait qu'il ne se laisserait pas écarter facilement.

La conviction irrésistible dans son baiser… Aurait-elle seulement la force, après dix-sept ans de solitude, de tourner le dos à un tel trésor ?

— Tu sais, déclara Bart Megrath en haletant, de nos jours, on peut faire ça sur une machine.

Soufflant un brouillard blanc, larmoyant dans le froid, ils étaient trois à courir sur la piste encerclant le terrain de foot du lycée. A chaque virage, Cameron Trent, qui avait la piste extérieure, devait courir un peu plus vite pour se maintenir au niveau des deux autres.

— Ouais, renchérit-il, on pourrait faire ça bien au chaud.

Harry jeta un regard réprobateur à Bart à sa gauche puis à Cam à sa droite. Depuis son retour à Maple Hill, il sortait courir chaque matin avant le petit déjeuner.

— C'était votre idée de m'accompagner, leur rappela-t-il. Vous n'étiez pas obligés de venir.

— Tu nous as inscrits au club de basket sans nous demander notre avis… Bien obligés. Jusqu'à maintenant… j'étais content… de ma vie de légume, souffla son beau-frère.

— Tu commences à prendre du ventre.

— Moi ! protesta Bart, horrifié.

— Bientôt, tu prendras goût à nos petites sorties. Tu passes dix heures par jour assis derrière ton bureau. Tu es un sacré avocat, mais tu ne voudrais tout de même pas que tes clients se mettent à t'appeler « le gros ».

— Haley m'avait bien raconté comment tu la… persécutais quand vous étiez petits… pensais qu'elle exagérait… m'étais trompé sur ton compte…

— Dites, on va à la pâtisserie tout de suite après, j'espère ? réclama Cam en accélérant de nouveau pour aborder la courbe suivante.

— Non, nous allons au Club Santé manger une omelette de blancs d'œufs et des fruits.

— Quoi ? s'insurgea Bart, outré.

— Pourquoi se priver, Harry ? Ce qu'on mange après l'effort est brûlé beaucoup plus vite, renchérit Cam qui courait légèrement, beaucoup moins essoufflé que Bart.

— Voilà le meilleur argument que j'aie entendu de la journée !

Bart accéléra, mais au lieu d'entamer un nouveau tour de piste, il fila droit vers le trottoir et la liberté.

— Par ici, Cam ! cria-t-il par-dessus son épaule.

Le grand garçon sprinta à sa suite.

— Eh ! Que faites-vous ? cria Harry.

Ils ne l'entendirent même pas.

Levant le nez, il huma l'air froid du matin. Un très léger arôme de sucre chaud lui parvenait de la pâtisserie, à quelques rues de là. Eh bien il devait reconnaître, à cet instant précis, qu'un grillé à la pomme l'intéressait davantage qu'une omelette de blancs d'œufs.

Jetant aux orties les principes de la diététique, il suivit les renégats.

— Ecoute, tu tiens déjà la grande forme, lui expliqua Bart, la bouche pleine, à leur table à La Petite Française. Hier, nous t'avons aidé à couper du bois, la veille, c'étaient des placards à installer dans ta cuisine. A ce rythme, nous serons bientôt mûrs pour les jeux Olympiques ! Qu'est-ce que c'est que cette obsession subite pour le sport ?

— Ce n'est pas une obsession, répliqua Harry. A l'inverse de toi, je me préoccupe de mon apparence.

Sans se vexer, Bart attaqua un gâteau au sirop d'érable.

— J'ai une femme, moi. Une femme vous nourrit. Et si on a la bonne idée de lui faire des compliments sur sa cuisine, elle vous récompense au-delà de vos rêves les plus fous.

— C'est le problème de Harry, opina Cam en sucrant son café. Il lui faudrait une femme pour le chouchouter, mais il met la barre très haut.

Il haussa les sourcils d'un air entendu. Harry lui jeta un regard sombre. Il aimait beaucoup Cam, qui en très peu de temps était devenu un très bon copain, mais par moments il le trouvait un peu trop fin, doué d'un peu trop d'intuition et de clairvoyance. Harry détestait qu'on voie clair en lui.

— Tu es psychologue en plus d'être plombier ? grogna-t-il.

— N'importe qui peut voir que tu craques pour la très jolie et très enceinte maire de notre bonne petite ville. Elle te tient à distance et ça te rend fou. Je me trompe ?

— Ah, c'est bien ça, alors, commenta Bart, très satisfait. Haley était sûre qu'il se passait quelque chose entre vous, mais je me demandais si elle ne prenait pas ses désirs pour des réalités.

Harry poussa un gros soupir et renonça à garder sa vie privée pour lui.

— Eh bien, pour tout vous dire, moi, je suis bien décidé à ce qu'il se passe quelque chose, avoua-t-il. Et elle, elle est bien décidée à ce qu'il ne se passe rien.

— Haley dit que ça se voit dans vos yeux. Tu sais, un premier amour, ça ne vous lâche jamais tout à fait.

— Je sais bien ! Reste que nous nous sommes fait beaucoup de mal, et que c'est assez difficile à dépasser.

— Mais vous n'étiez que des gamins ! commenta Cam en entamant une pâtisserie danoise.

— Ça fait encore plus mal quand on est gamins, lui expliqua Bart. On souffre plus longtemps. Mais vous avez fait votre chemin, tous les deux. Tu as eu ta carrière, elle a bien rempli sa vie avec son Auberge et sa famille. Son mari était pourri, mais elle a des filles formidables et tout le monde ici l'adore. Il serait temps de tirer un trait sur vos vieux problèmes !

Rassasié, Harry se renversa contre la banquette pour siroter son café.

— Le jour où elle a inauguré le Perk Avenue, je l'ai ramenée chez elle, et elle a dit quelque chose que je n'ai pas compris. Elle m'a expliqué qu'elle était en colère parce que j'étais revenu. Si j'ai bien compris, le problème n'est pas qu'elle ne veut pas me voir. Ce serait plutôt qu'elle aurait décidé de ne pas partir avec moi il y a dix-sept ans pour que je puisse réaliser mes rêves sans avoir un boulet au pied. Et voilà que je reviens m'installer ici et pour elle, ça veut dire que je ne suis pas allé jusqu'au bout. Elle m'a laissé partir, elle a eu un mariage pénible et moi, après son grand sacrifice, je renonce et je rentre à la maison.

Bart fronça les sourcils.

— Mais tu n'as pas « renoncé » !

— Je sais bien. C'est ce que je lui ai répondu. Ce n'est pas rationnel, chez elle.

— Dans ce cas, ce n'est peut-être pas la vérité. Elle ne sait peut-être pas elle-même pourquoi elle est en colère, elle dit ça en cherchant à se l'expliquer.

— Ce serait un bon signe, intervint Cam. Quand une femme est en colère et ce qu'elle dit ne tient pas debout, cela veut généralement dire qu'elle a des sentiments pour toi, mais que, pour une raison ou une autre, elle ne peut pas les accepter.

— Si Jackie a des sentiments pour moi qu'elle ne peut pas accepter, en quoi est-ce que c'est bon signe ? rétorqua Harry.

Bart secoua la tête d'un air de pitié.

— Parce que les sentiments l'emportent toujours, voyons ! Tu ne comprends donc rien aux femmes ?

Levant les yeux au ciel, Harry termina son café.

— Je croyais que si, mais je me trompe peut-être. Certains jours, je suis sûr qu'elle tient à moi et puis…

Il ouvrit les mains dans un geste d'impuissance.

Pointant sa fourchette vers lui, Cam ordonna :

— Rapproche-toi de ses filles. Deviens leur ami et c'est dans la poche.

100

— Comment peux-tu en être aussi sûr ? Tu as une femme, des enfants ?

— Je te fais profiter de mon expérience, répliqua dignement Cam. C'est ce qu'a fait mon frère. Il est tombé raide dingue amoureux de sa dentiste, mais elle l'a envoyé promener. Elle avait quatre petits garçons et elle n'imaginait pas qu'il puisse s'intéresser sérieusement à elle. Alors, quand le coach de base-ball de l'aîné est tombé malade, il a sauté sur l'occasion. Il s'est porté volontaire pour le remplacer, il a demandé à Sandi d'organiser une soirée pizza après un match, il a gardé les garçons un soir quand elle a eu une urgence avec un abcès…

— Tu as déjà une longueur d'avance, intervint Bart. Les filles ont passé la soirée chez nous l'autre jour parce que Jackie avait une réunion et Glory, sa baby-sitter, n'était pas libre. Elles n'ont parlé que de toi. Apparemment, vous avez bien discuté le jour de l'inauguration.

En quelques mots, Harry leur raconta leur première rencontre.

— Eh bien, tu as fait bonne impression. Erica se demande déjà si tu as embrassé sa mère.

— Moi aussi, je me le demande, déclara Cam en déroulant le bras sur le dossier de sa banquette. Alors ?

Harry décida subitement que la discussion avait suffisamment duré.

— Ça ne te regarde pas. Viens, on a du travail, dit-il en le poussant hors de la banquette pour l'entraîner vers la sortie.

— Ce geste ne constituerait-il pas une violence faite à l'encontre de ses employés ? demanda Cam en se retournant vers Bart. Tu crois que je peux lui faire un procès ?

— Je me renseignerai, promit Bart en éclatant de rire.

Les gentils adjoints semblaient sceptiques ; les méchants hostiles. C'était absurde mais, à chaque réunion, Jackie se surprenait à les ranger mentalement dans ces deux catégories.

— Cela coûterait une fortune, lança John Brockton avec colère. Nous avons déjà dépensé des sommes invraisemblables en main d'œuvre pour la construction du centre d'accueil des sans-abri, et pour refaire le sous-sol de la mairie dans un but commercial. Un commerce qui, soit dit en passant, ne correspond en rien à la mission de cet édifice, si vous voulez mon avis.

Il tempêtait, comptant sur ses doigts les innovations apportées par Jackie. Bref, il jouait son rôle habituel mais, globalement, les bons adjoints parvenaient à faire pencher la balance du bon côté.

— Le soir où l'électricité a sauté, vous vouliez pourtant que les circuits soient modernisés, observa Jackie.

— Nous pouvons réparer l'installation existante. Je ne crois pas qu'il soit nécessaire de tout refaire.

— Tout ce que je propose, répondit-elle d'un ton posé, c'est que nous demandions des devis.

— Demandons à Whitcomb de s'en charger, tout simplement, opina Alan Dartford. Nous le connaissons, nous savons qu'il est fiable et sérieux. Il fera du bon boulot.

— Nous devons faire un appel d'offres ! protesta Brockton.

— Techniquement, ce n'est pas nécessaire, corrigea Paul Balducci, un autre supporter de Jackie. La règle exige bien un appel d'offres à l'échelle du comté, mais à part Whitcomb, il n'y a que Dover Electric, et ils ont été mis en cause dans l'incendie de la compagnie Connecticut River Lumber. Brogan & Brogan ont tout fermé à part leur magasin d'électroménager quand le vieux Patrick est mort le mois dernier.

John Brockton eut l'air outré, comme si le fait de le contredire représentait une attaque personnelle.

— Dans ce cas, déclara-t-il buté, nous devrons aller au-delà des limites du comté.

— Mais pour quoi faire ? s'exclama Alan.

Brockton chercha le regard de Russ Benedict, qui le soutenait généralement dans son opposition systématique à toute proposition émanant de Jackie. Benedict possédait l'entreprise de bâtiment qui aurait construit le fast-food du frère de Brockton si l'accord s'était concrétisé.

Benedict, un petit homme court et rond avec de grosses lunettes, ne trouva rien à dire. Exaspéré, Brockton perdit son sang-froid et s'exclama :

— Pourquoi ? Eh bien, parce que c'est déjà assez grave qu'elle s'ingénie à gaspiller les dollars des contribuables ! Je ne vois pas pourquoi nous devrions en plus fournir du travail à son amant !

Jackie eut un hoquet d'indignation. Elle n'eut pas le temps de trouver les mots cinglants pour lui répondre : la porte de la salle claqua et une poigne de fer empoigna l'orateur par le collet. Harry, convié par Jackie à cette réunion pour donner un aperçu du coût d'un ravalement complet de l'installation électrique, venait de faire son entrée !

Russ Benedict sauta sur ses pieds. Evelyn, qui prenait des notes en bout de table, ouvrit de grands yeux horrifiés et incrédules. Alan et Paul, en revanche, se contentèrent d'observer les événements avec intérêt.

— Harry ! s'exclama Jackie, stupéfaite.

— C'est une agression, Whitcomb ! cria Russ. Lâchez-le !

Sans l'écouter, Harry se pencha vers sa victime et lui dit d'une voix égale :

— Vous devez des excuses au maire. Ce serait le bon moment pour les lui faire.

— Vous allez rester là à ne rien faire ? clama Benedict en se tournant vers les autres adjoints.

— Oui, répondit Paul Balducci avec un sourire.

Ce fut donc à Jackie de se précipiter au secours de cet homme qu'elle détestait.

— Lâche-le, ordonna-t-elle fermement.

— Quand il se sera excusé, répondit Harry en resserrant légèrement la pression.

— N…non, chuchota Brockton d'une voix rauque.

— A ton avis, Baldy ? demanda Harry à Paul Balducci. C'est toi l'urgentiste.

— Il peut tenir de cinq à sept minutes, répondit l'autre homme, les mains confortablement croisées sur son ventre. Bien sûr, avec Brockton, ce serait difficile d'évaluer les risques au niveau cérébral puisqu'il part avec une condition…

Il laissa sa phrase inachevée avec un petit sourire.

Jackie décida que le moment était venu de durcir sa position. Foudroyant Paul du regard, elle s'exclama :

— Ça suffit ! Tu devrais avoir honte ! Quant à toi, Harry, lâche-le tout de suite.

— Mais ça ne tient qu'à lui, madame le maire. Il n'a qu'à s'excuser.

— J'ai dit : tout de suite, Harry !

— J'appelle la police ! cria Russ d'une voix aiguë.

Lui prenant le bras, Alan Dartford le fit retomber sur son siège d'une manière amicale.

— Tais-toi, Russ.

— Harry ! répéta Jackie d'une voix menaçante.

Un couinement indistinct franchit les lèvres de Brockton. Harry se pencha plus près du visage de sa victime, demandant aimablement :

— Pardon ?

Dans le silence subit de la salle, on entendit :

— Je… regrette…

Immédiatement, Harry lâcha prise et aida Brockton, qui avait peine à reprendre son souffle, à s'asseoir sur son siège.

— Bien, dit-il. Mme Boullois est tout à fait capable de vous remettre à votre place, mais je vous préviens que si vous vous permettez de l'insulter, en tant que femme, vous aurez affaire à moi. C'est bien compris ?

Une violente quinte de toux secoua Brockton. Ses yeux pleins de larmes foudroyèrent Harry et il grinça :

— Vous étiez bien amants !

— Effectivement, il y a dix-sept ans, quand nous n'étions que des gamins. Cela ne vous donne pas le droit de suggérer quoi que ce soit d'irrégulier aujourd'hui, dans sa vie privée ou au niveau de cet appel d'offres.

Levant les yeux, il regarda tour à tour les autres adjoints comme pour les mettre au défi de le contredire.

— Bien sûr que non, dit tout de suite Alan.

— Nous savons à quoi nous en tenir, ajouta Paul.

Les bajoues de Benedict tremblèrent de confusion.

— Eh bien, on aurait pu croire… on pouvait se poser la question… euh…

L'expression de Harry le fit pâlir.

— John a dit que…, bredouilla-t-il, enfin, bon, je vois qu'il s'était trompé.

Le plus dignement qu'elle put, Jackie retourna à sa place et s'assit — pendant que ses jambes la soutenaient encore. La pression, dans son ventre et ses reins, était effroyable, et elle sentait que ses nerfs ne tarderaient pas à lâcher.

— Je préfère ajourner cette réunion, annonça-t-elle. Il est clair que nous n'accomplirons plus rien de positif après une scène aussi grotesque.

— Si je peux me permettre de vous interrompre, madame le maire, intervint Harry en prenant le siège vide à côté d'Alan

Dartford, je souhaiterais vous soumettre officiellement cette offre avant la clôture de la réunion.

Il tendit une chemise à Alan, qui la passa à Paul, qui l'offrit à Jackie. Impatientée, elle l'ouvrit. Très bien, elle résumerait sa fichue offre en quelques mots, histoire de la faire figurer dans les minutes de la réunion. Mais quel culot il avait de l'obliger à le faire, après ce western absurde !

Parcourant rapidement les pages, elle vit que le projet prévoyait de refaire l'électricité en tranches successives, de façon à ne pas interrompre les activités normales de la mairie. L'installation entière serait équipée de coupe-circuits, on rajouterait des prises, et tous les ordinateurs seraient reliés à des câbles spécialisés. C'était exactement ce que la municipalité souhaitait… sans pouvoir se l'offrir. Tournant la dernière page, elle chercha le montant du devis et ne trouva qu'un chiffre plutôt modeste dans la colonne des fournitures et matériaux.

— Le coût global n'est pas inscrit, prononça-t-elle rapidement à l'adresse de Harry. Nous ne pouvons pas enregistrer cette offre si elle n'est pas chiffrée.

Il hocha la tête, visiblement amusé par son attitude.

— Vous avez le chiffre global sous les yeux.

Elle le fixa un instant, puis demanda :

— Ce chiffre-ci ?

— C'est cela. J'aimerais offrir la main-d'œuvre à la commune.

— Pourquoi ? demandèrent simultanément trois des adjoints.

Brockton, lui, se contenta de le fixer avec méfiance, sans cesser de masser sa gorge endolorie.

— Je propose d'offrir mon travail à la municipalité, répéta Harry. Les coupe-circuits amélioreront la sécurité du bâtiment, ainsi que celle de votre matériel informatique. Ils réduiront également vos frais d'assurance, et vous n'aurez plus jamais à faire face à une situation aussi gênante que le soir de la Fondation pour les sans-abri.

— Et tout cela… gratuitement ? demanda Balducci.

Harry haussa les épaules.

— Pour l'instant, la municipalité n'a pas de budget pour s'offrir mes services. De mon côté, je peux me le permettre et je n'ai pas honte de préciser que ça me rapportera beaucoup en termes de relations publiques.

— Ça, tu peux le dire ! commenta Alan Dartford. Moi, j'en parlerai partout !

S'éclaircissant la gorge, il lança :

— Je propose de mettre aux voix la proposition suivante : confier à Harry Whitcomb le chantier de rénovation de l'électricité de la mairie.

— Je soutiens cette proposition, lança Benedict, prenant de vitesse Paul Balducci.

Jackie avait encore peine à en croire ses oreilles.

— Tu es bien sûr de ce que tu proposes ? demanda-t-elle à Harry.

Comme il hochait fermement la tête, elle cligna des yeux, incertaine puis, se redressant, elle s'adressa au petit groupe rassemblé autour de la table.

— Il a été proposé de confier à M. Whitcomb le chantier de rénovation de l'électricité de la mairie. Cette proposition a été soutenue, nous passons donc au vote. Les voix favorables ?

Il y en eut trois.

— Qui est contre ?

— Moi, chuchota Brockton.

— La proposition est acceptée, déclara Jackie.

Se tournant vers Evelyn, elle conclut :

— Le compte rendu devra montrer que l'offre de M. Whitcomb a été retenue. La réunion est close.

Se levant sans hâte, Harry serra la main de Paul et d'Alan tandis que Brockton se précipitait hors de la pièce, Benedict sur ses talons.

— M. Whitcomb ! lança Jackie du bout de la table.

— Oui, madame le maire ?

— Voulez-vous rester quelques minutes, je vous prie ?

Paul, Alan et Evelyn sortirent. Harry vint s'asseoir près d'elle. Dès que la porte se referma derrière les gentils adjoints, elle lui lança un grand coup de poing dans le bras en s'exclamant furieusement :

— C'est quoi, ton problème ?

7.

Enchanté, il se frotta l'épaule.

— Un bras cassé, à mon avis.

— Ne fais pas le malin avec moi ! répliqua-t-elle d'un ton sec. Qu'est-ce qui t'a pris ?

— En tant qu'élue, répondit-il avec beaucoup de sérieux, tu devrais travailler ton style de communication. Ce n'est pas bon pour ton image de…

— C'est exactement ce que je veux dire ! clama-t-elle.

Les deux poings plantés sur la table de conférence, elle voulut se pencher vers lui, mais le bébé s'interposa. De plus en plus énervée, elle haussa la voix :

— Quand je suis madame le maire, je ne suis plus la femme que tu tentes de convaincre de sortir avec toi. Je suis, comme tu le dis toi-même, une élue et tu ne défends pas mon honneur en agressant physiquement un élu.

— Je me fiche de savoir quel chapeau tu portes, rétorqua-t-il calmement. Tu es une femme avant tout et si tu sors avec moi, la sécurité de ta personne et ta réputation sont ma responsabilité.

— On se croirait au XIXe siècle !

— Je suis comme ça.

— Et de toute façon, je ne sors pas avec toi !

— Nous avons rendez-vous demain.

— Ce sera une occasion unique.

Il poussa un gros soupir et secoua la tête.

— Jackie, dit-il d'un ton de reproche affectueux, cesse de te raconter des histoires. Ce n'est pas terminé entre nous. Tout ce que nous ressentions à l'époque est encore d'actualité, et davantage encore. Il faut que tu l'acceptes.

Elle ouvrit la bouche, mais aucun son ne sortit. Incapable de trouver les mots qui exprimeraient le fond de sa pensée, elle se frotta machinalement le bas du dos.

Sautant sur l'occasion, Harry la saisit à la taille et l'attira sur le siège voisin, tout près du sien. Son premier réflexe fut de se débattre… mais cela devait être si bon de s'asseoir qu'elle se laissa faire.

Doucement, il massa l'endroit où il l'avait vue se frotter ; elle laissa échapper une petite plainte et ferma les yeux.

— Mon Dieu, Harry, chuchota-t-elle.

— Oui, je sais, murmura-t-il sans cesser le va-et-vient apaisant de ses doigts.

— Mais je suis enceinte !

— Ça, j'ai remarqué.

— Quel homme sain d'esprit voudrait entamer une relation avec une femme enceinte ?

— Un homme qui n'a jamais pu oublier la femme qui se trouve être enceinte en ce moment.

— Tu m'as oubliée, soupira-t-elle. Et tu as fait une grande carrière.

— Pour commencer, je pense que je cherchais à me prouver quelque chose. A moi ou à mon père, je ne sais plus très bien. J'ai adoré mon travail, mais il m'accaparait.

— Oui, dit-elle d'une voix lointaine. Je connais ça. Mon mariage me demandait tant d'efforts que je me suis un peu perdue.

Et, tout naturellement, elle appuya son front contre son

110

épaule. Il sentit son corps se détendre contre lui, et ce fut la sensation la plus extraordinaire qui lui ait été donné de vivre depuis bien des mois — des années peut-être. Puis elle tourna à demi la tête, avec une expression un peu anxieuse.

— Tu crois que le fait de nous revoir nous a donné envie de… recréer le passé ?

— Peut-être. Ou ce qui couvait entre nous s'est rallumé, tout simplement. C'était plutôt chaud, tu te souviens ?

Un instant, il lut une souffrance dans son regard, puis elle eut un geste totalement inattendu : laissant aller sa tête contre son épaule, elle s'abandonna entre ses mains.

— Je ne voulais pas te faire si mal…, chuchota-t-elle d'une petite voix plaintive qui lui broya le cœur.

— Moi non plus, je ne voulais pas. Est-ce qu'on peut se pardonner et repartir à zéro ?

Il y eut un bref silence, puis elle releva la tête, les yeux humides.

— Tu crois que c'est possible ?

— Si nous le voulons, dit-il immédiatement, pourquoi pas ?

Il espérait qu'elle sourirait mais son visage se crispa. Cachant de nouveau son visage contre lui, elle fut secouée par de petits sanglots qu'elle tentait de contrôler.

— Le problème, c'est que je ne sais pas ce que je veux ! se lamenta-t-elle tout bas. Est-ce qu'on peut être simplement amis, pour commencer ?

Il la berça contre lui, un peu déçu mais prêt à accepter tout ce qu'elle voudrait bien lui offrir.

— L'amitié, c'est bien, dit-il.

Ce serait déjà une fondation, à lui d'y construire autre chose. Déjà, Jackie s'écartait de lui, s'essuyant furtivement les yeux. Dans un effort visible pour se ressaisir, elle se leva et lissa sa robe bleue.

— Je ferais bien de me remettre au travail avant que quelqu'un ne trouve le maire en larmes et que Brockton ne l'apprenne !

— C'est vrai. Moi aussi, j'ai à faire, dit-il en se levant à son tour. Pour le dîner demain soir...

— Oui ? dit-elle d'un air inquiet.

Redoutait-elle qu'il ne veuille annuler ? Parfait, c'était bon signe !

— Faisons ça chez toi, proposa-t-il en pensant au conseil de Cam. A 18 heures ? J'apporterai tout.

— Ah ? D'accord, accepta-t-elle, l'air assez déconcerté par sa proposition. Tu sais faire la cuisine ?

— Pas vraiment, non. Je prendrai des plats à emporter. Et si je louais un film pour les filles ?

— Bonne idée.

— Il y en a un en particulier qu'elles n'ont pas vu, ou qu'elles seraient contentes de revoir ?

Toujours aussi perplexe, elle proposa :

— Je peux faire un sondage et te rappeler.

— Parfait. A demain alors.

Elle avait toujours la même expression perplexe le lendemain soir en lui ouvrant la porte, vêtue d'une salopette et d'un chemisier rouge à manches longues. Cette couleur vive donnait un éclat particulier à ses yeux gris et au cuivre pâle de ses boucles.

Dès qu'il franchit la porte, il fut pris d'assaut par les deux filles. Erica lui prit des mains l'un des sachets qu'il portait ; Rachel l'entraîna vers la cuisine en gambadant comme un jeune chiot. Cam ne s'était pas trompé !

— Qu'est-ce qu'on mange ? demanda Rachel en se perchant

sur un tabouret tandis qu'il alignait ses sachets sur le plan de travail.

— Un gratin de poulet du traiteur de Maple Market ! annonça-t-il.

Les petites poussèrent des cris de joie — qu'il attendait puisque Haley l'avait renseigné sur leurs préférences !

— Et aussi de la salade, un pain au fromage et du gâteau au chocolat avec de la glace, conclut-il, triomphant.

— On peut commencer par le dessert ? demanda Rachel en soulevant à deux mains le petit seau de glace à la vanille.

— Un jour, quand vous dînerez chez moi, vous pourrez, promit-il en riant. Mais votre maman a probablement un point de vue plus traditionnel. Tu veux bien la ranger au congélateur ?

Sautant à bas de son tabouret, Rachel emporta la glace vers le grand réfrigérateur à deux portes.

— Erica, tu me montres comment préchauffer le four ? demanda-t-il encore.

Elle courut lui ouvrir la porte du four. Il sortit de son sachet le plat couvert de papier d'aluminium et l'enfourna.

Il déballa le reste de ses provisions, trouvant à chaque instant les filles sur son chemin. Leur désir de l'aider ne lui facilitait pas toujours la tâche, mais il était enchanté par leur façon de le prendre en main pour lui expliquer les petits rituels de la famille.

— Rachel n'aime pas les oignons, lui signala Erica alors qu'il découpait des crudités. Tu dois lui servir sa salade avant de les ajouter.

— Vu.

— Tu as apporté des petits trucs à saupoudrer ? s'enquit Rachel.

Zut ! Lui qui croyait avoir pensé à tout...

— Non, qu'est-ce que c'est ?

— Ne t'en fais pas, il y en a sur le plateau qui tourne.

Ouvrant le placard qu'elle lui indiquait, il vit un assortiment de condiments, parmi lesquels il trouva un flacon rempli de petits copeaux multicolores. Erica le lui prit des mains pour aller le poser sur la table.

Le couvert était déjà mis. Du coin de l'œil, il vit Jackie disposer des verres à pied et y verser du lait, apporter un bougeoir de cuivre avec une bougie violette. Son visage était curieusement serein. Il se demanda si, comme lui, elle pensait à ce qu'aurait dû être leur vie, si seulement ils avaient été un peu plus mûrs, un peu moins emportés…

— Tu veux qu'on goûte le gâteau ? proposa Rachel, le nez fourré dans le dernier sachet.

Erica se haussa sur la pointe des pieds pour regarder par-dessus l'épaule de sa sœur.

— Juste pour être sûres que ce n'est pas du poison, suggéra-t-elle. Il vaudrait mieux vérifier.

Un peu interloqué, il leva les yeux vers Jackie qui souriait, accoudée au plan de travail.

— C'est un jeu que nous jouons, expliqua-t-elle. Quelquefois, pour leur donner le courage de terminer leur viande ou leurs légumes, je leur donne un aperçu du dessert.

— Bravo ! s'écria-t-il en soulevant avec précaution le paquet contenant le dessert.

Retirant le couvercle, il coupa une part très mince, la divisa en trois et la proposa à la ronde. Les filles furent enthousiasmées par ce qu'elles goûtèrent.

— Tu peux revenir nous apporter à dîner quand tu voudras ! s'exclama Erica.

— Maman a dit qu'il y aurait un film, s'enquit Rachel en nouant les bras autour du sien. Lequel tu as pris ?

— *Toy Story II*, répondit-il.

Il avait été chercher ce film après que sa mère, qui avait croisé Jackie, lui avait transmis le titre souhaité.

— Il est où ? On peut le mettre tout de suite ? Je sais dépasser toutes les bandes d'annonce, comme ça, quand ce sera l'heure de regarder, on aura le film tout de suite.

— Dans la poche de mon blouson.

Il fit un geste vers le placard de l'entrée et se remit à découper des tomates.

Rachel fila. Erica la suivit des yeux et s'approcha de lui.

— Je suis contente que tu sois venu, lui confia-t-elle. Toutes les autres mamans ont un mari ou un petit ami, sauf la nôtre.

Derrière lui, Jackie grogna quelque chose qu'il ne saisit pas. Il se retourna à demi pour lui sourire, puis se concentra de nouveau sur sa fille.

— C'est vrai ?

— Personne n'emmène jamais maman nulle part. Sauf pépé, quand il vient nous voir. Il habite à Miami, maintenant. Tu veux bien mettre les tomates dans la salade ? Ce n'est pas aussi joli, mais c'est meilleur.

— Bien sûr ! Ta mère, où aimerait-elle aller ?

— Elle dit toujours…

Fermant les yeux, elle s'éclaircit la gorge ; il comprit qu'elle allait imiter Jackie. Heureusement, celle-ci était passée dans l'entrée voir ce que faisait Rachel.

— Oh, Seigneur, s'écria Erica avec la voix de sa mère, il me faudrait un mois aux Bermudes !

C'était saisissant ! On aurait cru voir Jackie au bout du rouleau : le grand geste, la voix tendue — qu'il avait déjà entendue plusieurs fois…

— Adeline a dit qu'elle s'occuperait de nous si quelqu'un voulait bien emmener maman en voyage, reprit Erica.

Il approuva de la tête, ramassant adroitement ses tranches de tomates sur la lame de son couteau pour les disposer sur la salade.

— Ça fait déjà une part du problème réglée.

— Oui. Tu n'auras qu'à t'occuper du reste.

— Je vois.

— Elle n'aime pas prendre l'avion, alors vous devrez probablement partir en croisière.

— Je verrai ce que je peux faire.

— A quel sujet ? demanda la voix de Jackie derrière lui.

Harry fut horrifié de voir Erica ouvrir la bouche, prête à la mettre au courant. Vite, il posa un doigt sur ses lèvres et lui glissa :

— C'est notre secret.

Rayonnante, Erica lui lança un clin d'œil appuyé.

— Chouette ! Maman adore les surprises !

Jackie les regarda tour à tour, d'un air inquiet.

— Puis-je préciser que j'aime uniquement les *bonnes* surprises ?

— Celle-ci est géniale ! clama sa fille.

Pressé de l'écarter, Harry lui tendit le saladier, qu'elle emporta sur la table ; puis, préférant échapper au regard de Jackie, il se hâta de sortir le pain au fromage du four.

— De quoi parliez-vous ? lui demanda Jackie tout bas.

— D'une surprise, répondit-il sur le même ton.

— Animale, végétale ou minérale ?

Il se représenta une croisière avec elle.

— Céleste, répondit-il.

— Céleste ?

— Oui.

— Erica t'a dit de m'emmener à l'observatoire ?

— Dans un certain sens. Voilà, je crois que nous sommes prêts à passer à table. Il manque quelque chose ?

116

Ce fut un repas mémorable. Le gratin était bon et les filles en reprirent, tandis que Jackie s'intéressait surtout à la salade et au pain au fromage. Harry but sagement son lait et contempla la petite famille avec satisfaction. Son plan marchait à la perfection.

Et qu'il se sentait bien avec elles ! Elles ne cessèrent de le taquiner, proposant de l'embaucher comme nounou, gouvernante ou employé à tout faire. De cette façon, elles n'auraient plus jamais à faire la cuisine.

— Oui, mais qu'est-ce qu'on ferait de Glory, votre baby-sitter ? demanda Jackie.

— De toute façon, elle va se marier avec le garçon qui travaille pour Harry, répondit Rachel en haussant les épaules.

— Elle aimerait bien, mais ce n'est pas sûr, corrigea Erica. Et puis, même si elle se marie, il lui faudra tout de même un travail.

— Je sais ! s'écria Rachel. Glory peut s'occuper du bébé et Harry s'occupera de nous.

Amusée, Jackie jeta un regard en coin à leur visiteur et fit mine d'envisager la proposition.

— Deux nounous ! Ça nous coûterait cher, dites donc !

— Mais si Harry apporte tous les repas, on ne sera plus obligées d'acheter à manger, rétorqua Rachel.

Erica lui jeta un regard désabusé.

— Si maman l'embauche pour s'occuper de nous et pour apporter à manger, c'est toujours elle qui paiera.

Rachel se remit à réfléchir. L'inspiration ne se fit guère attendre ; son visage s'illumina et elle s'écria sur le ton de l'évidence :

— On n'a qu'à le demander à Adeline ! C'est sa mère, elle nous le *donnera* ! On n'aurait même pas à le payer, il serait là tout le temps… et il apporterait quand même à manger !

Erica fut prise d'un violent fou rire.

Contrôlant sa propre hilarité, Jackie lui expliqua que ce serait de l'esclavage, et Rachel l'écouta avec beaucoup de concentration. Puis les deux filles débarrassèrent la table et partirent chercher le dessert.

— On peut mettre un couteau entre les mains d'Erica ? s'enquit-il à voix basse.

— Nous avons une pelle à tarte spéciale, répondit-elle sur le même ton. Et elle fait bien attention.

— Pourquoi Rachel porte-t-elle une taie d'oreiller ?

Jackie gloussa.

— C'est sa propre création. Je crois qu'elle envisage une carrière dans la mode. Malheureusement, la taie était à Erica. Il a failli y avoir une émeute, mais Rachel a remboursé la taie et Erica lui a fait un bon prix parce que nous l'avions eue en solde. Tout est bien qui finit bien.

Une bonne philosophie… du moment que tout finissait par le retour de Jackie dans ses bras. Plus il la voyait, moins il pouvait envisager de se passer d'elle. Plus il apprenait à connaître ses filles, plus il lui semblait qu'il serait heureux s'il pouvait passer sa vie auprès d'elles. Mais Jackie souhaitait qu'ils soient seulement amis…

Le temps et les petites travaillaient pour lui, se consola-t-il.

Après le dîner, ils s'installèrent sur le canapé devant la télévision, Harry et Jackie côte à côte, Erica près de Jackie et Rachel sur les genoux de Harry. Celui-ci fut surpris d'apprécier le film presque autant que les enfants. Le rire des filles était communicatif mais pas autant que celui de Jackie. Et elle riait souvent, amusée par les efforts absurdes des jouets.

Le film terminé, Erica monta terminer ses devoirs et Rachel fila se coucher sans protester. Jackie grimpait lentement les marches pour aller la border quand le téléphone sonna.

Poussant un soupir agacé, elle esquissa un mouvement pour redescendre.

— Je vais répondre, proposa Harry. Prends ton temps. La résidence Boullois, ajouta-t-il à l'appareil.

— Euh… bonsoir ? dit une voix hésitante. Ici l'Auberge Yankee. Je peux parler à Jackie ? C'est urgent.

— Ne quittez pas. Elle arrive.

Jackie le rejoignit en se dandinant, une main plaquée sur les reins.

— Qui est-ce ? demanda-t-elle tout bas.

— L'Auberge, répondit-il sur le même ton. Il dit que c'est important.

— Eh ! cria une voix indignée en haut de l'escalier. Tu viens me border, oui ou non ?

Jackie ferma un instant les yeux, agacée.

— Dans une minute, Rachel ! lança-t-elle en prenant le combiné.

— Je m'en occupe, glissa Harry en faisant glisser un tabouret vers elle. Je ferai du café en revenant.

Il grimpa l'escalier quatre à quatre.

Harry trouva Rachel assise toute droite dans son lit. Dès qu'elle le vit, elle leva les sourcils d'un air interrogatif.

— Ta maman a eu un coup de fil de l'Auberge, expliqua-t-il. Je me suis porté volontaire pour te border. Comment est-ce qu'il faut faire, je commence par les pieds ?

— Oui, tu peux commencer par les pieds.

Il fit mine de se retrousser les manches, empoigna la couette et lui empaqueta étroitement les pieds. Reculant un instant pour examiner son œuvre, il revint à la charge et remonta le long de son corps jusqu'aux épaules. Elle gloussait à chaque geste qu'il faisait.

— Tu peux encore respirer ? demanda-t-il avec inquiétude.

— Oui !

Rayonnante, apparemment enchantée de ne plus pouvoir bouger, elle le regarda s'asseoir au bord du lit.

— Tu bordes drôlement bien ! Maintenant, tu dois me lire quelque chose.

— Les dernières nouvelles de la Bourse ? taquina-t-il. Les œuvres complètes de Shakespeare ?

— Non ! Nous sommes en train de lire *Chroniques des souris*. Il y a un ruban pour marquer la page.

Il ouvrit le volume tandis qu'elle expliquait, volubile :

— C'est quand la maman souris veut faire le dîner, mais il n'y a plus rien au garde-manger.

Elle se tortilla dans son cocon serré, frémissante d'anticipation.

— Oh, que faire, que faire ? lut-il d'une petite voix aiguë. Mes bébés ont faim et le placard est vide. Et le chat s'est endormi sous la table de la cuisine !

La voix de Harry-maman souris arracha un gloussement pointu à Rachel. Erica passa le nez par la porte, vêtue d'un pyjama de flanelle décoré de gros cœurs rouges.

— Pourquoi est-ce que c'est toi qui lis ? demanda-t-elle en s'approchant.

Obligeamment, sa sœur glissa de côté pour lui faire de la place.

— Maman est au téléphone, alors c'est Harry qui me borde.

— Si tu nous bordes, tu es un petit ami officiel, opina la grande.

Décidément, il marquait des points à tour de bras !

— Je crois que ce n'est pas officiel tant que votre mère ne l'aura pas décidé, dit-il pourtant.

— Continue à lire, recommanda Erica. On pourra lui dire si tu t'en es bien sorti.

— Ça marche.

S'efforçant de ne pas jubiler trop ouvertement, il tourna la page et continua à lire.

Jackie s'immobilisa devant la porte, émue par le tableau qu'elle découvrait. Les filles allongées côte à côte, Rachel sous la couette, Erica dessus et Harry renversé sur un coude sur le bord du lit, lisant à voix haute le livre appuyé contre les pieds de Rachel. Tous trois semblaient complètement pris par l'histoire, et aussi par le plaisir d'être ensemble.

L'histoire, une des préférées de Rachel, racontait les difficultés d'une maman souris et de ses deux bébés. L'hiver approchant, ils isolaient ingénieusement leur petit logement sous le plancher en tissant des poils tombés du pelage du chien et du chat ; la nuit, ils faisaient des descentes dans la cuisine pour récolter les miettes sous la table. Ils parvenaient même à remplacer les nœuds rouges de leurs cheveux avec des fils pris au bord effiloché de la nappe. Chaque fois qu'elle reprenait ce livre, elle trouvait des parallèles avec ses propres efforts pour organiser la vie de sa petite famille.

Dès que Harry referma le livre, Rachel se redressa d'un bond.

— C'est comme maman et Erica et moi !

— Sauf quand ils tissent les poils du chat et du chien, précisa Erica en souriant.

Elle semblait très détendue ce soir et quand elle corrigea sa sœur, ce fut avec humour, sans son air excédé habituel.

— Et tu as apporté le dîner, continua-t-elle en levant la tête vers Harry. On n'a pas été obligées de le ramasser par terre.

Rachel ajouta :

— Moi et Erica, on doit travailler ensemble pour aider maman, même si Erica me déteste la plupart du temps.

— Je ne te déteste pas, contredit tranquillement sa sœur. Je trouve juste que tu es bizarre.

Prenant Harry à témoin, elle ajouta :

— Elle a fait sa robe avec ma taie d'oreiller. Ce n'est pas bizarre, ça ?

— Ça m'a un peu surpris, admit Harry. C'était plutôt une bonne idée, Rachel, mais tu aurais sûrement dû prendre ta propre taie d'oreiller.

— Le dessin sur la sienne était mieux.

Tirant l'oreiller de sous sa tête, elle le brandit sous le nez de Harry, si près qu'il loucha, les faisant éclater de rire.

— Tu vois ! cria Rachel. Il n'y a que des bébés animaux. Je voulais une robe de grande.

— Les grandes ne peuvent pas entrer dans une taie d'oreiller, protesta Erica en levant les yeux au ciel.

Rachel abattit l'oreiller sur sa tête, et Erica était de si bonne humeur qu'il en résulta un joyeux chahut plutôt qu'une bataille rangée. Quand Harry voulut intervenir, il fut aspiré à son tour dans le tourbillon de bras, de jambes et de piaillements aigus.

Jackie allait intervenir pour ramener le calme quand Harry se dressa au centre de la mêlée, une fille sous chaque bras.

— Maman ! hurla Rachel, hilare. Au secours !

Jackie s'avança en sentant un bonheur presque oublié s'épanouir en elle. Ricky ne jouait presque jamais avec les filles, et son sourire ne faisait pas du tout battre son cœur. Alors qu'il suffisait que Harry la regarde, les yeux rieurs…

— J'ai tout vu. C'est vous deux qui avez commencé, déclara-t-elle.

Erica, toujours suspendue la tête en bas, leva vers elle un visage rayonnant.

— On veut que tu dises qu'il est officiel !

— Officiel ?

— Qu'il soit officiellement ton petit ami. Nous, on veut le garder, mais ce n'est pas officiel tant que tu ne l'as pas dit.

— Il est officiellement mon ami, contra-t-elle, prudente.

Les deux filles lui jetèrent un regard désabusé, puis le visage d'Erica s'éclaira.

— C'est quoi, le mot pour quand quelque chose est vrai, même si ce n'est pas officiel ?

Jackie ne parvenait pas à réfléchir, trop émue de voir Harry avec ses filles dans les bras.

— J'ai trouvé ! s'exclama Erica. C'est un homme, c'est ton ami, alors c'est ton petit ami !

— Super ! cria Rachel.

Harry la laissa choir sur le lit, posa la grande sur ses pieds ; instantanément, elles tendirent les bras vers lui. Se penchant pour se mettre à leur portée, il se plaignit :

— Regardez ce que vous avez fait. Rachel était si bien bordée ! Je vais devoir laisser votre maman le faire, en fin de compte.

La couette n'était plus qu'un gros tortillon fripé. Jackie voulut la secouer et s'aperçut qu'elle tenait encore à la main le téléphone sans fil. Où avait-elle la tête ?

— Tiens, dit-elle en tendant le combiné à Harry. J'étais montée te l'apporter. Ta mère demande que tu la rappelles. Il y a une réunion des diacres à l'église ce soir et les lumières ne marchent pas.

— On croirait qu'avec tous leurs cierges ils réussiraient à se débrouiller ! grogna-t-il.

Prenant le combiné, il sortit dans le couloir. Immédiatement, les filles lui emboîtèrent le pas.

— Rachel, au lit, ordonna Jackie. Erica, reviens ici, c'est un appel privé, qui concerne le travail de Harry. Laisse-le téléphoner tranquillement.

— Je voudrais qu'il vive avec nous, soupira Rachel en revenant docilement sur ses pas. Je l'aime bien.

Erica approuva de la tête, et vint chuchoter à sa mère :

— Je crois qu'il nous aime plus que papa.

— Ton père vous aimait très fort toutes les deux.

Elle en était convaincue, même si Ricky n'avait jamais su exprimer son amour, même si c'était toujours elle qui lui servait d'interprète. Erica hocha la tête.

— Je sais, dit-elle avec beaucoup de sagesse. Mais il n'aimait pas beaucoup qu'on soit dans ses jambes. Harry, si.

— On ne peut pas faire de telles comparaisons après un dîner et un film, protesta doucement Jackie.

Erica leva les yeux vers elle, surprise.

— Mais si on peut !

Elle fila dans sa chambre. Jackie borda de nouveau Rachel, l'embrassa très fort et éteignit sa lampe. Elle allait sortir quand une petite voix l'arrêta net sur le seuil :

— Si on pouvait voter, ce serait deux contre une.

— Mais nous ne sommes pas en démocratie ! Sous ce toit, c'est une monarchie, répondit Jackie du tac au tac.

— Qu'est-ce que ça veut dire, maman ?

— Je suis la reine, et tu dois faire ce que je te dis.

Rachel protestait encore quand elle referma la porte.

En se retournant, elle se trouva nez à nez avec Harry qui souriait, amusé.

— Ça s'applique à tous ceux qui mettent les pieds chez toi ? demanda-t-il.

Elle ne put s'empêcher de lui sourire en retour.

— Non, juste mes loyaux sujets.

— Et pour ceux des… royaumes voisins ?

— Bien entendu, ils feront comme bon leur semblera, répondit-elle avec dignité.

Il s'inclina très bas.

— Alors je dois passer mon chemin, Majesté. On m'a mandé pour rallumer les torches au presbytère ! Bonne nuit. Je t'appellerai.

Il allait partir ! Un instant plus tôt, elle voulait se débarrasser de lui et maintenant, elle cherchait désespérément un moyen de le retenir.

— Je te raccompagne. J'arrive, Erica.

— Prends ton temps, maman, répondit sa fille. Bonsoir, Harry.

— Bonsoir, Erica.

— Au revoir ! chantonna Rachel du fond de sa chambre.

— Au revoir, Rachel.

Jackie lui saisit le bras et l'entraîna vers l'escalier.

— Vas-y vite, avant qu'elles ne cherchent encore à te suivre, murmura-t-elle.

— J'ai une maison formidable sur le lac, dit-il en enfilant son blouson. Vous devriez venir me voir, un de ces jours. Je suis sûr qu'elles adoreraient.

— Oui, tu es sur l'autre rive, presque en face de chez ta mère. Elle m'a montré tes lumières un soir, quand elle gardait les filles chez elle.

Il se mit à rire.

— En espérant que tu irais t'égarer de ce côté en solitaire ? Nous nous serions réconciliés et nous lui aurions fourni une horde de petits-enfants.

— En gros, oui, soupira-t-elle. Elle est à peu près aussi subtile que mes filles.

— Ne t'en fais pas, recommanda-t-il. Nous n'avons de comptes à rendre à personne. Nous avons eu le rendez-vous obligatoire ; la suite ne dépend que de nous.

Elle approuva de la tête. Voilà qui résumait très bien leur situation, pensa-t-elle en lui ouvrant la porte — mais tout à coup, elle ne se sentait plus aucune prise sur les événements. Sans doute n'avait-elle de comptes à rendre à personne… mais c'était si bon de l'avoir sous son toit, assis à sa table, jouant avec ses filles !

Et d'ailleurs, cette soirée, qu'avait-elle de si obligatoire ? Harry semblait réellement désireux de la voir, mais il avait choisi d'apporter un repas ici plutôt que de l'emmener dîner quelque part. Parce qu'il ne voulait pas être vu en compagnie d'une éléphante ? Il s'était donné du mal pour obtenir ce rendez-vous mais, une fois sur place, il avait presque semblé s'intéresser davantage aux filles qu'à elle. Tout à coup, elle ne savait plus très bien si cette soirée chaleureuse avait réellement eu lieu ailleurs que dans son imagination.

Elle en était là dans ses réflexions quand il lui pinça le menton, un geste charmant et affectueux, posa un baiser chaste sur ses lèvres, et dévala le perron vers la camionnette.

— Bonne nuit ! dit-elle.

Cette petite voix trop empressée… on aurait dit l'une des filles ! songea-t-elle.

Ce fut seulement quand la camionnette de Harry eut disparu à l'angle de la rue qu'elle se souvint que les filles partaient ce week-end pour une sortie avec leur groupe d'Ecole du dimanche… et elle avait promis de tenir l'accueil à l'Auberge. Quelle dommage ! Pour une fois qu'elle aurait pu avoir une soirée libre !

Mais en fait, Harry n'avait pas proposé de la revoir.

Tête basse, elle rentra et se mit tristement à ranger la cuisine, se répétant que cela n'avait aucune importance, que cette histoire ne pourrait jamais aboutir. Impossible. La culpabilité, oubliée pendant quelques heures, revint la ronger. Tôt ou tard, elle devrait le mettre au courant. Elle avait fait ce qui lui semblait juste sur le moment, mais lui ne verrait sûrement pas les choses sous le même angle.

Alors que faire maintenant ? Ses filles adoraient Harry, elle commençait juste à connaître l'homme adorable, prévenant, amusant et délicieusement sexy qu'il était devenu.

Devait-elle tout lui dire maintenant, ou profiter encore un peu de sa présence ?

8.

Le vendredi soir, Jackie prit la permanence à l'accueil de l'Auberge. Comme on ne voyait guère de touristes au mois de mars, la soirée était calme et elle eut tout le temps de passer en revue ce qu'elle pourrait faire de son exceptionnel week-end de solitude.

Les filles étaient parties avec leur groupe deux heures auparavant, sous la surveillance d'Adeline. Aucun dossier à la mairie ne demandait son attention immédiate, le ménage de la maison était fait... Harry avait dit qu'il l'appellerait, mais il ne s'était pas encore manifesté. Cela valait sans doute mieux. Elle avait besoin de temps pour elle.

Voyons, elle pourrait... manger de la glace directement dans le pot. Regarder un film avec des scènes d'amour (elle ne le faisait jamais quand les filles étaient là). Ces derniers temps, elle avait tendance à soupirer en comptant le temps écoulé depuis qu'elle avait fait l'amour pour la dernière fois.

Elle pourrait prendre une douche sans être interrompue par des cris du genre « Où sont mes chaussures ? », « Je peux prendre une banane ? » ou « Erica ne veut pas me laisser la télécommande ». Elle se mettrait un peu de parfum et étrennerait la chemise de nuit de dentelle noire achetée juste avant la mort de Rick, et qu'elle n'avait jamais portée. Elle ferait semblant d'être une femme d'affaires à la vie passionnante, plutôt qu'une mère, une gérante d'hôtel et une barrique.

La porte de l'auberge s'ouvrit, elle leva la tête avec le sourire de bienvenue qu'elle exigeait de la part de tous ses employés — et vit entrer un bel homme d'un certain âge.

— Papa ! s'écria-t-elle enchantée.

Elle sautait sur ses pieds pour courir l'embrasser quand elle s'aperçut qu'il n'était pas seul. Une femme était étroitement plaquée contre lui ! Un instant, elle eut l'impression absurde que son père portait une marionnette géante.

Etreignant Jackie de son bras libre — l'inconnue restant cramponnée à l'autre —, il l'embrassa. Son parfum la surprit, une eau de toilette qui rappelait la verveine, à la place du traditionnel Old Spice. C'était merveilleux de sentir cette étreinte ferme et rassurante. Il n'aurait pas pu mieux tomber !

— Tu as l'air prête à nous faire ce bébé dès ce soir ! s'exclama-t-il en reculant d'un pas pour mieux la contempler. Je croyais qu'il ne devait arriver qu'en avril…

— C'est bien ça, dit-elle en tapotant son ventre énorme. Je crois que je suis en train de fabriquer un géant.

— Essaie de nous faire un garçon cette fois, tu me feras plaisir ! Viens que je te présente Sabrina Bingley. Sabri, voici ma fille, Jackie Boullois.

La belle Sabrina, toujours appuyée contre son compagnon, tendit la main paume vers le bas, presque comme si elle attendait un baisemain. Elle déplut instantanément à Jackie. Elle eut beau se dire qu'il était injuste de se faire une opinion aussi vite, cette femme la hérissait. A voir la froideur de son sourire, c'était tout à fait réciproque !

Sabrina était presque aussi grande qu'Adam. De courts cheveux sombres encadraient son beau visage ; sous le regard hautain de ses yeux bleu nuit, Jackie se sentit encore plus énorme et disgracieuse. Un ensemble de laine écrue soulignait sa silhouette parfaite et une sorte d'étole à franges d'un beau beige doré drapait ses épaules. Elle semblait sortie tout droit d'un défilé de mode.

Se désintéressant bien vite de Jackie, elle regarda autour d'elle.

— C'est charmant, cette vieille auberge, dit-elle. Ces balustres sont en chêne du Maine.

Captant le regard surpris de Jackie, elle précisa :

— Je suis décoratrice. Je pourrais faire quelque chose de cette maison.

Jackie ouvrit de grands yeux, partagée entre l'horreur et le soulagement. Horreur parce qu'elle aimait passionnément la vieille auberge, exactement telle qu'elle était, avec ses planchers de bois patinés, ses escaliers tortueux, sa cheminée de pierre noircie par deux siècles et demi de flambées. Depuis deux ans qu'elle gérait l'auberge, elle s'efforçait de tout entretenir sans rien changer, et elle ne voulait absolument pas qu'on en fasse « quelque chose ». D'un autre côté, si son père avait amené cette femme avec lui pour faire des propositions de décoration, cela signifiait qu'elle n'était pas sa compagne…

Elle en était là de ses conclusions quand elle dut déchanter. Passant le bras autour des épaules fines de la jeune femme, son père roucoula :

— Voyons, Sabri, tu es en vacances ! De toute façon, Jackie ne te laissera toucher à rien. Elle adore les vieilles choses.

— Mais moi aussi, répliqua *Sabri* avec un sourire condescendant. J'envisageais juste de… rafraîchir un peu. S'ils ont l'impression que l'on néglige l'entretien, les clients ne reviennent pas.

— Nos clients sont des habitués à soixante-dix pour cent, murmura Jackie sans emphase.

Lui tapotant le bras, Sabrina soupira :

— Je suppose qu'on n'a guère le choix dans le secteur. Adam, je suis épuisée. Nous pouvons monter ?

Jackie dut faire un gros effort pour ravaler la phrase qui lui montait aux lèvres.

— Installez-vous dans le salon un petit moment, proposa-t-elle. Détendez-vous un peu, prenez un verre. Pendant ce temps Honorine montera préparer l'appartement.

Lors de ses visites, Adam Fortin habitait un petit logement sous les toits. Apparemment inconscient de la tension ambiante, il prit le menton de sa fille et posa un baiser sur sa joue en s'écriant jovialement :

— Mais non, je suis sûr que tout est parfait. J'ouvrirai les fenêtres, je secouerai un peu les couettes. Viens, Sabri.

Saisissant la main de la jeune femme, il l'entraîna vers l'ascenseur.

— John s'occupe de nos bagages, lança-t-il par-dessus son épaule. Tu veux bien lui demander de garer la voiture quand il aura terminé ? Dis-lui de faire bien attention, c'est une voiture de location.

— Bien sûr, papa.

Elle aurait aimé le prendre à part, le supplier de lui dire qu'il ne pouvait pas s'intéresser sérieusement à cette fille épouvantable. Il fallait pourtant se rendre à l'évidence : planté devant les portes de l'ascenseur, il gardait le bras sur ses épaules et elle se blottissait contre lui comme un chaton.

La sonnerie du téléphone l'arracha à ce nouveau souci : d'abord une réservation puis, quelques minutes plus tard, un coup de fil de Haley. Celle-ci appelait du journal et voulait la réaction de Jackie au projet de Brockton de la faire révoquer.

— Comment ça ? s'exclama-t-elle.

Il y eut un bref silence sur la ligne.

— Tu n'étais pas au courant, Jackie ? Tu ne savais pas

que Brockton et Benedict montaient une campagne pour te faire révoquer ?

— Non, je n'étais pas au courant.

— A les entendre, tu aurais détourné des chantiers municipaux pour les confier à ton amant, expliqua la jeune femme, qui semblait plus intriguée que contrariée. Dois-je comprendre que mon frère et toi, vous avez enfin…

— Non ! cria Jackie.

John, le jeune portier de nuit, entrait en poussant un chariot sur lequel s'empilaient un monceau de valises vert et grège. Saisi, il s'arrêta net. Hochant la tête pour le rassurer, elle lui fit signe de filer vers l'ascenseur et reprit un ton plus bas :

— Tu as peut-être remarqué que je suis enceinte. Tellement enceinte que je n'ai ni le désir ni sans doute la capacité d'accueillir un homme dans mon lit !

Ce n'était pas tout à fait exact. Le désir était bien là, mais cela, personne n'avait à le savoir.

— Ton frère et moi, nous avons décidé d'être amis. Amis, rien de plus ! Brockton est juste détestable, comme toujours. Est-ce qu'il a seulement le droit de me mettre en cause ?

— Il a le droit, répondit son amie. J'ai consulté la charte de la commune, il suffit de deux adjoints pour former un comité de révocation. Ensuite, un juge doit décider si la procédure ira plus loin. Brockton veut ta peau et Benedict le suivra pour ne pas perdre sa clientèle.

— Merci, je sais comment ils fonctionnent, tous les deux.

— Alors, ton commentaire ?

— Je le garderai pour l'audience. Ce jour-là, sois sûre que j'aurai des choses à dire.

En réalité, elle aurait eu beaucoup à dire tout de suite, mais elle ne voulait pas sombrer dans la grossièreté. Elle se frottait le front, cherchant à apaiser un subit mal de tête, quand une ligne intérieure se mit à sonner.

— Désolée, Haley, je dois raccrocher.

— D'accord, nous parlerons plus tard. Tu peux compter sur moi pour te soutenir.

— Je sais, et je suis bien contente que tu sois là. Au revoir !

Elle raccrocha, respira à fond, enfonça le bouton de l'autre ligne et s'écria gaiement :

— Ici l'accueil, à votre service.

— Jackie, ici Sabrina, dit une voix hautaine.

— Oui, Sabrina, dit-elle avec gentillesse.

— La lampe chauffante de la salle de bains ne fonctionne pas, dit Sabrina d'une voix lugubre. Après douze heures en avion, je pensais pouvoir prendre une douche sans me glacer les os.

— J'envoie quelqu'un changer l'ampoule, promit Jackie.

Elle alla chercher une ampoule de rechange dans la réserve et dès que John revint avec son chariot vide, elle lui demanda de s'occuper du problème.

John prenait des cours de théâtre à Amherst et il lui donna sur-le-champ un échantillon de ses talents en se laissant tomber à genoux devant elle :

— Je t'en prie, ne me renvoie pas là-haut ! Je viens à peine de lui échapper. Elle m'a demandé d'accrocher ses sacs penderie, de mettre sa trousse de toilette dans la salle de bains, de poser toutes les autres valises sur le lit et de les ouvrir. Elle m'a envoyé chercher des glaçons, puis il a fallu que j'appelle le restaurant pour passer sa commande. Et pendant tout ce temps, elle me *regardait* ! Pitié, Jackie. Je t'assure, il y avait quelque chose de bizarrement sexuel dans sa façon de me donner des ordres. Comme si ça lui faisait de l'effet d'avoir un esclave.

Se tordant les mains avec conviction, il gémit :

— C'est un succube !

Jackie, qui riait aux éclats, réussit à articuler :

— Nous ne sommes que tous les deux ce soir, John. Tu veux vraiment me voir monter en haut d'un escabeau ?

— Je serai à tes pieds toute ma vie si seulement tu embauches quelqu'un d'autre le temps de remonter là-haut.

— J'ai changé des milliers d'ampoules au cours de ma carrière d'aubergiste, dit une voix d'homme.

Saisis, Jackie et John se retournèrent d'un bond. Adam se tenait derrière eux. Pâlissant brutalement, John bredouilla :

— Monsieur Fortin ! Je… Je…

— Pas de problème.

Le vieux monsieur vint prendre la boîte cartonnée des mains de sa fille et se dirigea vers l'ascenseur.

— N'empêche, mon petit, je t'aurais donné un gros pourboire ! lança-t-il avec un sourire par-dessus son épaule. Jackie, tu peux me retrouver pour le petit déjeuner ?

Elle qui avait prévu de faire une grasse matinée, pour une fois qu'elle en avait la possibilité ! Eh bien, elle renoncerait de bon cœur à sa grasse matinée pour découvrir ce que faisait son père avec cette femme.

— Bien sûr, papa !

— Bien. Pas ici, ça te rappellerait trop le travail. Je passerai te prendre.

Dès que les portes de l'ascenseur se refermèrent, John se tourna vers Jackie, l'air affolé.

— Je suis viré ? Tu crois que je suis viré ?

— C'est moi la patronne et tu n'es pas viré. Ecoute, moi aussi, je la trouve épouvantable, mais c'est une cliente et nous devons rester courtois.

Il ferma les yeux, prit une immense respiration et approuva de la tête.

— Merci. Si jamais je peux faire quelque chose pour toi, tu n'auras qu'à demander. Tu n'as pas besoin d'une greffe d'organe ? Un rein, mon foie ?

— Je me contenterai d'un moka, si tu veux bien aller le chercher.

— Tout de suite ! s'écria-t-il en filant vers les cuisines.

Le moka n'était pas encore arrivé que Sabrina téléphonait de nouveau.

— Ce n'est pas l'ampoule qui est en cause, annonça-t-elle, plus impériale que jamais. Votre père l'a changée et il n'y a toujours aucune chaleur dans la salle de bains.

— Pouvez-vous vous en passer pour ce soir ? demanda Jackie. Je ferai venir quelqu'un dès demain matin.

— Je préférerais que ce soit réparé tout de suite.

Jackie respira à fond.

— Dans ce cas, je vais voir ce que je peux faire. Je vous tiens au courant.

Tout heureuse de ce prétexte, elle composa le numéro de Harry. Au diable les bonnes résolutions !

Elle lui expliqua le problème, ajoutant :

— Je regrette, tu croyais sûrement ta semaine terminée, tu comptais enfin décompresser, et voilà…

— Une occasion de te voir, acheva-t-il à sa place. C'est une bonne nouvelle, à n'importe quelle heure.

Elle raccrocha, tout excitée. Harry avait réellement envie de la voir ! Quant à elle, elle était assez horrifiée par sa propre impatience.

Un monstre en kimono ivoire, pensa Harry, médusé. Jackie lui avait uniquement parlé d'une panne de lampe chauffante ; John Granger, le petit portier de nuit, prit sur lui de l'avertir de la présence de Sabrina.

La jeune femme leur ouvrit la porte en personne, artistement drapée dans les plis de son peignoir futuriste. Le regard qu'elle posa sur lui fut assez étrange ; il comprit qu'elle méprisait sa chemise en jean, mais s'intéressait à ce qui se trouvait en dessous. Puis Adam Fortin parut derrière elle et l'intérêt qu'elle lui manifestait s'effaça derrière un masque poli.

— Harry ! s'écria le père de Jackie en lui serrant vigoureusement la main. C'est bon de te revoir ! Que fais-tu ici ? Aux dernières nouvelles, tu étais censé ramener Traveler II sur Terre.

Harry commençait à répondre quand Sabrina l'interrompit en offrant à Adam un sourire de martyre :

— Il pourrait se mettre au travail pendant que vous bavardez ? Ma douche…

— Désolé. Bien sûr !

Il entraîna Harry dans une salle de bains au charme désuet. Ayant dressé l'escabeau sous la lampe chauffante, John s'éclipsa sans demander son reste. Il ne fallut que quelques instants à Harry pour diagnostiquer un faux contact. Il entreprit la réparation tout en racontant ses nouveaux projets à Adam, assis sur le rebord de la baignoire. Il lui décrivit son entreprise et ses multiples collaborateurs à mi-temps. Puis il actionna l'interrupteur et instantanément, la salle de bains fut inondée de lumière et de chaleur.

— Dieu merci, s'écria Adam en l'aidant à replier l'escabeau. Si Sabrina avait dû attendre plus longtemps…

Harry ne pouvait imaginer aimer une femme que l'on redoute. Mais chacun ses goûts !

— Vous êtes sauvé, dit-il avec un sourire.

Soulevant l'escabeau, il l'emporta dans la pièce principale. Sabrina lisait une revue sur le canapé. Elle leva la tête, battant des cils.

— Vous avez déjà terminé ? Merci !

136

Il s'écarta poliment pendant qu'elle filait prendre la douche tant attendue.

— Je vais redescendre l'escabeau, dit-il à Adam.

Adam lui ouvrit la porte.

— Toi et Jackie, hasarda-t-il. Est-ce que vous…

— Nous avons décidé d'être amis.

Puis, voyant Adam soucieux, il lui confia :

— Disons qu'elle a décidé que nous ne serons qu'amis. Moi, j'ai d'autres projets.

— Vous avez… parlé ?

— Un peu, oui. Je la laisse croire que l'amitié me suffit pour l'instant.

— Je te souhaite bonne chance. J'ai toujours pensé que vous formeriez un beau couple.

Tout content, Harry se dirigea vers l'ascenseur, l'escabeau sur l'épaule. Malheureusement, une idée vint ternir un peu sa bonne humeur : c'était bien d'avoir le soutien du père de sa belle, mais après avoir rencontré Sabrina, que penser de sa capacité à juger qui faisait un beau couple ou pas ?

De retour à la réception, il trouva John installé à l'accueil.

— Mme Boullois fait une pause, l'informa-t-il. Posez l'escabeau dans ce coin, j'irai le ranger tout à l'heure.

— Mme Boullois est dans la cuisine ?

— Non, elle a mis son manteau en disant qu'elle avait besoin d'air.

Harry alla ranger sa boîte à outils dans sa camionnette, et chercha Jackie dans le petit parc. La nuit était très froide, la neige craquait sous ses pieds. Au jugé, il se dirigea vers la pergola, petit dôme couvert des lianes enchevêtrées d'une clématite ; en été, elle serait couverte de splendides fleurs roses. La lune brillait sur la pelouse enneigée qui descendait jusqu'au ruisseau, limite de la propriété. D'ici, il entendait chuchoter le cours d'eau sous sa gangue de glace.

Il trouva Jackie sur la berge, près d'un petit pont décoratif. Sans doute n'avait-elle pas osé s'aventurer sur le dos d'âne verglacé. Ne voulant pas lui faire peur, il prononça son nom avant de s'approcher. Perdue dans ses pensées, elle ne réagit pas et il dut l'appeler une deuxième fois avant qu'elle ne se retourne. Quand elle pivota vers lui, il la trouva presque pitoyable, blottie dans son grand manteau sombre, les mains enfoncées dans les poches ; puis il vit qu'elle souriait. Un grand sourire lumineux.

— Harry ! chuchota-t-elle dans un élan.

Il dut faire un effort violent pour se retenir de courir vers elle. Il devait faire attention, rester désinvolte, pour ne pas l'effaroucher !

— Re-bonsoir, dit-il d'un ton léger.

Il vint se planter près d'elle et contempla les reflets mouvants du ruisseau, les bras croisés pour se protéger du froid — et pour résister à l'envie de la serrer contre lui.

— Ça y est, la panne est réparée.

— Merci ! Quel était le problème ?

— Juste un faux contact. Je ne pourrai t'envoyer qu'une toute petite facture.

— Demande autant que tu voudras, soupira-t-elle. Elle devrait te payer aussi, parce que tu l'as sauvée d'une agression. Si j'avais dû l'écouter une minute de plus faire un drame à cause de cette fichue lampe chauffante, je crois bien que je l'aurais giflée.

— Je lui enverrai la note, la taquina-t-il. Que fait ton père avec une fille pareille ?

— Je n'en ai pas la moindre idée. Ils sont arrivés ce soir, sans prévenir, et je n'ai pas encore eu l'occasion de lui parler en privé. J'en saurai peut-être davantage demain matin puisqu'il vient me chercher pour le petit déjeuner. Je ne comprends pas ce qu'il lui trouve.

— Elle est jeune, belle, avec un corps de rêve, hasarda-t-il.

— Mais ma mère était douce, très gentille ! Celle-ci est une…

— Une cosaque ? proposa-t-il.

— Oui ! Pourquoi est-ce qu'elle lui plaît ?

— C'est peut-être important, quand on se sent vieillir, de voir qu'on peut encore intéresser une jeunesse. C'est une preuve de sa virilité.

— Quel cliché !

— La vie est pleine de clichés. On a beau chercher à rester lucide, tout le monde succombe aux mêmes peurs et aux mêmes faiblesses.

— Toi, non. Tu es parti faire carrière et tu as réussi.

— Oui. Et ensuite, je me suis senti trop seul et je suis rentré à la maison. Ça aussi, c'est une vieille histoire.

— Moi, je n'ai réussi qu'à aligner les scandales. Je suis la femme dont le mari est mort dans les bras d'une autre, et le maire qu'on veut révoquer.

— Quoi ? s'exclama-t-il.

— Brockton veut me chasser de mon siège sous prétexte que je réserve les chantiers de la municipalité à un homme avec qui j'ai des rapports intimes.

— Allons, personne ne croira ça !

Elle lui tourna le dos et s'écarta de quelques pas.

— Peut-être pas, dit-elle au bout d'un instant. Je suis surtout inquiète pour les filles. Elles ont déjà beaucoup enduré cette année.

Sa voix s'était enrouée. Cette fois, il ne put s'empêcher de la toucher. La rejoignant en deux grandes enjambées, il la saisit aux épaules et la retourna face à lui. Il ne vit pas de larmes sur ses joues, mais un vrai désespoir dans son regard.

— Ça va aller, promit-il en caressant ses cheveux froids et soyeux. Tu as le droit de te sentir fatiguée et découragée, avec tout ce que tu dois supporter. Qu'est-ce qu'on peut faire pour te soulager ? Tu as envie de casser de la vaisselle ? Ou de tirer des boîtes de conserve à la carabine ? Je me souviens que tu aimais marcher en tapant très fort des pieds quand tu étais furieuse.

— J'avais dix-sept ans, lui retourna-t-elle en reniflant. Si je tapais des pieds maintenant, la terre tremblerait jusqu'au Connecticut. Tu te retrouverais peut-être en train d'accoucher le bébé.

— Je t'en prie, non ! Demande-moi tout ce que tu veux, mais pas ça. Ecoute, voilà ce que je te propose : je pourrais traîner dans le voisinage jusqu'à ce que tu aies fini ton service, et te ramener chez moi. Ce serait l'occasion de prendre un peu de recul, voir les choses sous un autre jour. Puisque tes filles sont avec ma mère ce week-end.

Levant vers lui de grands yeux luisants de larmes, elle bredouilla :

— Je ne peux pas venir comme ça…

— Pourquoi pas ?

— Parce que cela prouverait ce que clame Brockton.

— Je doute qu'il soit dans les parages à une heure pareille. Je te ramènerai chez toi quand tu voudras. Dès que tu auras un peu décompressé ou demain, après le petit déjeuner.

Elle eut une expression de confusion absolument adorable.

— Harry, je ne peux…

— Je ne supposais pas que nous ferions passionnément l'amour, dans ton état, l'interrompit-il d'une voix douce. J'ai quatre chambres, chacune avec une vue sur le lac. Deux d'entre elles ont une cheminée, et l'une des deux a un foyer inséré dans le mur entre la chambre et la salle de bains. On peut regarder le feu du fond de la baignoire.

Elle eut un petit sourire.

— C'est celle-là que je voudrais…

— Bon choix, dit-il avec un petit rire. C'est la mienne.

Elle le repoussa, exaspérée. Il saisit ses mains au vol en riant.

— Je plaisantais ! Ecoute, c'est tout simple : je te prépare quelque chose à manger, tu te reposes un peu et je te ramène chez toi.

Il vit que l'idée la tentait et comprit qu'il ne devait plus insister. La tête penchée sur le côté, l'air méfiant, elle dit :

— Il faudrait que j'emporte mon bip, en cas de problème.

— Pourquoi pas ? dit-il d'un ton léger.

— Quelque chose à manger, résuma-t-elle, un moment passé à contempler tranquillement le lac et ensuite, tu me ramènes chez moi.

— Je marche.

— Tu n'essaieras pas de me convaincre de rester ?

— C'est promis.

— Je termine à 23 heures.

Cachant soigneusement sa joie, il approuva de la tête et consulta sa montre.

— Il est 21 h 42. Je vais faire quelques courses et je reviens te prendre à 23 heures tapantes. Je te raccompagne ? Le sentier est glissant.

9.

La première chose que Jackie remarqua en arrivant devant chez Harry fut le silence. Il y avait moins de maisons de ce côté du lac et par cette nuit très noire, on se sentait très loin de la civilisation. Puis elle respira à pleins poumons cet air froid très pur et piquant, relevé du parfum d'un feu de bois.

— Un couple de Washington a bâti cette maison il y a deux ou trois ans, dit-elle doucement. Je crois bien qu'il était sénateur. Ils ne sont pas restés très longtemps.

— Oui, l'agent immobilier m'a dit qu'il a perdu une fortune quand le marché des nouvelles technologies s'est effondré, et qu'il a été obligé de vendre.

Il lui prit le bras pour l'aider à gravir les six marches menant à la grande terrasse de bois.

— La première chose que j'ai faite en m'installant ici a été d'acheter un gros barbecue au gaz et une longue table avec des parasols. Seulement voilà, les affaires ont marché tout de suite et je n'ai guère eu l'occasion de profiter de ma terrasse. J'attends le printemps avec impatience.

Il sortit ses clés, déverrouilla à tâtons la grande porte d'entrée percée d'un vitrail. Elle attendit en frissonnant un peu.

— J'adore les grillades en plein air, observa-t-elle. Notre jardin est si petit que je dois mettre le barbecue sous la véranda. Il faut grimper les marches chaque fois qu'on veut se servir. Ricky n'avait pas la patience.

— Cette terrasse encercle toute la maison, dit-il en poussant la porte. Et j'ai un hectare de terrain. Ça fait beaucoup d'espace pour manger en plein air pendant que les filles courent autour de la maison en jouant avec le chien.

— Les filles ? Les miennes ? demanda-t-elle, interloquée.

— Bien sûr.

— Mais nous n'avons pas de chien.

— Vous devriez.

— Personne n'est là pendant la journée, récita-t-elle d'une voix sévère, comme chaque fois que les filles réclamaient un animal de compagnie. La pauvre bête s'ennuierait. On ne pourrait pas demander à Glory de s'en occuper en plus de tout le reste.

— Elle aime les chiens ?

Jackie ne sut jamais ce qu'elle aurait répondu : Harry fit de la lumière et elle ne put réprimer un petit cri d'admiration. Elle se trouvait sur le seuil d'une pièce énorme qui lui sembla absolument splendide avec son parquet de bois, son plafond voûté et ses murs d'une teinte écrue très douce. Face à elle se dressait une immense cheminée moderne, mise en valeur par un tapis semé de coussins multicolores et de plantes vertes. Plusieurs gros fauteuils aux teintes reposantes étaient groupés autour d'une table basse de bois flotté ; l'espace salle à manger était en retrait, avec une longue table dressée devant une série de fenêtres.

Il prit son manteau et lui indiqua le canapé le plus proche de la cheminée.

— Ce coin du canapé se transforme en chaise longue. Installe-toi. J'allume du feu et je te prépare à manger.

— J'ai pris un moka à l'auberge. Décaféiné, bien sûr. La

première chose que je ferai quand ce bébé sera né sera de boire une cafetière entière de vrai café.

Il éclata de rire.

— Je ne crois pas que je pourrais me passer de café pendant neuf mois. Donc, tu n'as pas dîné ?

Elle sombra dans les coussins moelleux du canapé, tâtonna à la recherche de la poignée et ne la trouva pas.

— Comment est-ce que…

Harry était déjà près d'elle, glissant la main entre l'accoudoir et le coussin pour actionner une manette cachée. Effleurant sa hanche, sa main trouva la poignée, la tira ; le dossier partit souplement en arrière pendant que la base du canapé venait soulever ses pieds.

La position était délicieusement confortable mais, l'espace d'un instant, elle ne sut plus ce qui lui arrivait. Là où Harry l'avait touchée, sa hanche la brûlait. Dans un éclair de panique, elle se demanda si elle devenait folle. A moins que ce ne soit hormonal, ou que le stress la transforme en obsédée sexuelle. Etait-il bien normal de penser autant au sexe à huit mois de grossesse ?

Voyant son visage troublé, Harry lui demanda avec inquiétude :

— Tu n'es pas bien ?

Elle se hâta de sourire en s'enfonçant ostensiblement dans les coussins.

— J'étais juste… surprise. C'est très confortable.

L'air peu convaincu, il posa le dos de sa main contre sa joue.

— Tu es un peu rouge. Je crois que tu travailles beaucoup trop à ce stade de ta grossesse.

— Je vais très bien, affirma-t-elle en écartant sa main d'une tape. C'est mon premier week-end en célibataire depuis… eh bien, je crois bien que c'est mon tout premier ! Tout à l'heure, au travail, je me disais qu'en rentrant chez moi je prendrais un bain moussant en mangeant de la glace et en regardant un film avec un héros ultra-séduisant.

— Désolé, dit-il d'un ton léger. Tu n'auras rien de tout ça ici. Pas de glace, pas de bulles.

Mimant la déception, elle poussa un énorme soupir.

— Je croyais que tu étais allé faire des courses…

Il eut encore un de ces petits rires qu'elle aimait tant.

— Je crois que nous n'avons pas la même idée des courses indispensables.

— Bon, alors, qu'est-ce que tu me proposes ?

Tout naturellement, il prit un plaid très doux drapé sur le canapé et le posa sur elle, la couvrant des épaules aux pieds.

— Eh bien, je peux te préparer un sandwich froid, un sandwich grillé, ou réchauffer de la soupe, un chili ou un ragoût. Il y a aussi des fruits, des biscuits, du bacon…

Une inspiration subite sembla le frapper et il proposa :

— Si je te faisais un BLT ? C'est ce que tu commandais toujours quand on sortait ensemble.

Un sandwich bacon, laitue, tomate ; cela faisait une éternité qu'elle n'en avait pas mangé !

— J'adorerais. Je peux aussi avoir autre chose ?

— Tu veux aussi du chili ? demanda-t-il avec un sourire.

— Non. Des biscuits.

— Pas de problème. Et à boire ? Je n'ai pas de décaféiné, mais Parker m'a donné des tisanes.

— Parker Peterson ? demanda-t-elle, surprise. La thérapeute du massage qui loue le bureau du fond à la mairie ?

— Oui. Je n'ai pas encore eu le courage d'y goûter mais je crois bien que c'est de la camomille. J'en fais une théière ?

— Oui, s'il te plaît.

— Parfait. Détends-toi, je fais du feu et je file dans la cuisine.

Elle le regarda s'agenouiller devant le foyer, son jean tendu sur ses fesses musclées. Il s'était étoffé depuis ses dix-huit ans, mais il gardait un corps d'athlète. Elle avait toujours pris plaisir à le regarder, vêtu ou nu.

Leurs rapports intimes étaient arrivés vers la fin de leur année de terminale. Le père de Harry était mort au mois d'avril et il portait le deuil de cette relation ratée. Un jour, il avait pleuré, elle s'était efforcée de le réconforter sans trop savoir comment s'y prendre. Ils avaient trouvé ce moyen de se communiquer de la tendresse. L'amour physique avait été une joie et aussi une révélation. Tous deux étaient éblouis de découvrir à quel point ils s'aimaient, à quel point ils se comprenaient déjà.

Ou du moins, ils le pensaient.

Brutalement, elle se souvint de la façon dont il avait refusé de l'écouter, le dernier soir. Quel choc de découvrir qu'il pouvait lui faire mal à ce point ! Puis elle pensa à la vérité qu'elle ne lui avait jamais dite. Au fond, ils étaient quittes. Avec le recul du temps et de la maturité, avec tout ce qui s'était passé dans l'intervalle, le fait de n'avoir pas su l'entendre n'était plus une bien grande trahison.

Sa silhouette si familière, si séduisante… Elle ferma les yeux pour ne plus le voir. Des larmes se formaient sous ses paupières, elle dut lutter pour les retenir. Elle avait tant pleuré à une époque, et cela n'avait rien changé.

Elle n'avait pas de quoi se plaindre. Elle avait deux filles formidables, un travail satisfaisant, des revenus confortables et de bons amis. Elle ne pouvait pas gémir, simplement parce qu'elle n'avait aimé qu'un seul homme de toute sa vie et que le destin décrétait qu'elle ne l'aurait pas.

Elle entendit crépiter des flammes. Une onde de chaleur l'enveloppa et elle sombra dans le sommeil.

Les flammes bondissaient gaiement dans la cheminée. Harry se tourna vers le canapé pour demander à Jackie si elle voulait de la soupe avec son sandwich, et vit qu'elle s'était endormie. Rempli de tendresse, il se pencha pour ajuster le plaid... et interrompit son geste en découvrant les larmes sur ses joues.

Elles n'y étaient pas quelques minutes auparavant ! Le sommeil libérait-il ce qu'elle contrôlait tant qu'elle était consciente ? Si seulement il pouvait la garder ici, la protéger de tout ! Quand il pensait à sa vie difficile de mère célibataire, et cette commune qu'elle portait à bout de bras... La nouvelle petite amie de son père et la menace de révocation qui venaient s'ajouter au fardeau qu'elle portait. Il aurait tant voulu qu'elle se laisse aimer pour qu'il puisse la décharger de ses soucis.

Avec un bref soupir, il retourna dans la cuisine.

Le pain était grillé, il y avait étalé un soupçon de mayonnaise, disposé la tomate et la laitue ; il essuyait le bacon sur une serviette en papier quand elle le rejoignit, les yeux un peu bouffis, les joues roses, enroulée dans le plaid comme une squaw.

— Je me suis endormie, dit-elle d'une voix un peu enrouée. Je peux faire quelque chose ?

Les larmes avaient séché sur ses joues, laissant de légères traces de mascara. Harry trouva cela émouvant.

— Non, tout est prêt.

Terminant les sandwichs en quelques gestes rapides, il lui tendit les deux assiettes.

— Tu veux bien apporter ça près du feu ? Je fais la tisane.

Elle obéit et repartit en lui lançant un sourire par-dessus son épaule.

— N'oublie pas les biscuits !

Il lui montra le paquet, déjà posé sur le plateau ; elle hocha la tête, approbatrice, et disparut dans le salon. L'eau était chaude ; il la versa dans la théière de grès brun et fit la grimace quand il sentit la vapeur quasi pharmaceutique qui s'en élevait.

Peu appétissant, mais Jackie aimerait peut-être.

Elle aima. Elle en était à sa deuxième tasse et son sandwich était presque terminé quand elle ouvrit le sachet de biscuits. Posant la main sur sa poitrine, elle en goûta un avec un petit gémissement de volupté.

— Je sais bien : je n'ai pas fini mon sandwich, fit-elle, mais je profite de l'absence des filles pour vivre dangereusement.

— C'est ce que tu appelles vivre dangereusement ? Manger un biscuit avant d'avoir terminé ton dîner ?

Elle approuva de la tête.

— Je suppose que ça n'a l'air de rien quand on s'est amusé à envoyer des hommes dans l'espace, mais une maman prend de gros risques dès qu'elle s'écarte du règlement. Elle ne doit jamais, jamais le faire quand il y a la moindre chance que les enfants puissent la voir. Mais les miennes sont loin ce soir !

— Ça te plaît d'être maman, nota-t-il en remplissant de nouveau sa tasse.

Lui-même n'avait plus touché à la sienne depuis la première gorgée. Ce breuvage faisait peut-être un bien fou mais, à son avis, le goût était infâme.

— Oh, oui, dit-elle d'un ton léger. Au début, quand j'ai eu Rachel, j'étais horrifiée de voir le travail supplémentaire que créait un second bébé mais ensuite… eh bien, on trouve le rythme. On sait qui a besoin de quoi à quelle heure, on sait ce qui les rend heureux. D'une façon ou d'une autre, tout finit par s'organiser. On se fait du souci pour eux, mais on n'a plus conscience de l'effort que demandent les soins quotidiens. Ce sera sûrement pareil pour le troisième.

— Oui, mais quand tu as eu Rachel, tu n'étais pas encore maire.

— C'est vrai. Mais normalement, Glory devrait continuer à nous aider, et il y aura aussi ta mère et ses amies, les premiers temps. Tout se mettra en place.

Terminant son sandwich, il se renversa sur un coude et la regarda prendre un second biscuit. Elle parlait avec beaucoup de courage, mais quelque chose dans son expression trahissait son angoisse. « Elle a terriblement besoin d'aide, pensa-t-il. Elle a besoin que quelqu'un vienne la sauver. »

— Et pour ton propre épanouissement, demanda-t-il, qu'est-ce que tu comptes faire ?

Elle lui jeta un sourire amusé en mordant dans son biscuit.

— Je n'y pense même pas. La plupart des mères sont comme moi. Le fait de s'occuper du bonheur de nos enfants suffit à nous nourrir.

— Nourrir la mère en toi, oui, mais la femme ?

Elle ouvrit la bouche pour répondre, mais il l'interrompit.

— Ne me dis pas qu'elle n'existe pas ! Je l'ai embrassée.

— C'est juste qu'il n'y a jamais de temps pour elle, dit-elle en haussant les épaules. De toute façon, je ne l'ai jamais particulièrement appréciée. Tout ce qu'elle fait ou presque tourne mal.

— Elle allait partir avec moi, rappela-t-il à mi-voix. Cela au moins se serait bien terminé. Nous aurions eu nos diffi-

149

cultés, mais je n'ai jamais douté du résultat : nous aurions eu le genre de mariage où chacun soutient et nourrit l'autre. Pas du tout ce que tu as connu avec Boullois.

Elle eut l'air très fatiguée tout à coup.

— Ne revenons pas là-dessus ce soir.

Malgré tout, il insista :

— Regarde-toi. Tu es en train d'ignorer une part fondamentale de toi. C'est risqué.

Laissant choir son biscuit entamé sur son assiette, elle reprit le dernier morceau de son sandwich.

— Tu es parti depuis trop longtemps pour savoir ce qui est bon pour moi, dit-elle avec davantage de conviction que de colère. Et depuis quand es-tu un expert ? Tu es revenu ici parce que tu n'avais pas de vie affective ; à mon avis, toi aussi, tu as ignoré toute une partie de toi.

— C'est vrai. Mais au moins, je reconnais l'existence du problème.

— Oui, eh bien pour moi, ce n'est pas un problème. Je n'ai pas aimé ma vie de femme mariée. Si la femme en moi ne retrouve pas d'homme, ce ne sera pas une catastrophe. Je n'ai pas l'intention de me remarier.

Des mots absurdes dans la bouche de cette femme si délicieusement jolie, si adorablement enceinte.

Des mots qui n'avançaient pas ses projets, loin de là !

— Oh, n'aie pas l'air si surpris, dit-elle avec une pointe d'agacement.

Elle reposa son sandwich, repoussa son assiette et se mit péniblement debout.

— Je sais bien que tu m'as embrassée et que j'ai aimé ça. Le sexe, c'est formidable, mais je ne vivrai pas avec un homme rien que pour avoir ma part.

Elle se dirigeait vers la penderie où il avait suspendu son manteau ! Il sauta sur ses pieds pour la rattraper.

— Tu penses que le mariage ne t'offrirait rien de plus ?

— Non, lâcha-t-elle en s'emparant de son manteau. Dans mon expérience, le mariage n'offre rien. Je ne veux pas retomber dans ce piège, et pour le sexe… eh bien, tant pis !

Elle protestait trop, elle s'en rendait compte elle-même. On aurait cru entendre une vieille fille frustrée répéter à qui voulait l'entendre qu'elle ne tenait pas du tout à faire l'amour — alors que personne ne voulait d'elle. D'ailleurs, ce n'était pas loin du compte ! Dire qu'elle s'était sentie si bien ce soir, dans cette merveilleuse maison chaleureuse. Elle avait tant aimé la manière dont il avait préparé le sandwich et les biscuits et sa façon d'étendre un plaid sur elle… mais cela ne changeait rien à la réalité !

Rien ne pourrait la changer, et elle s'en voulait de l'oublier aussi souvent.

Un miroir était accroché près de la porte ; elle tomba en arrêt devant son reflet. Ces traces noires… les larmes qu'elle croyait si bien contrôler avaient coulé pendant qu'elle dormait.

Harry la fit pivoter vers lui, encadrant son visage de ses mains, caressant ses joues.

— Qu'est-ce qui te fait si mal que tu pleures en dormant ? demanda-t-il à mi-voix.

Elle aurait aimé se dégager, mais le contact des mains de Harry anéantissait sa volonté. Tout à coup, elle voulait croire que la nature et le destin pouvaient être vaincus, qu'il existait une solution pour qu'ils soient heureux ensemble.

— Je suis enceinte, gémit-elle d'une toute petite voix. Tout me donne envie de pleurer.

Elle prit une respiration tremblante, sentit les picotements familiers sous ses paupières et lutta pour maîtriser une nouvelle crise de larmes. Il posa une main sur son épaule, la laissa glisser jusqu'à son coude dans un geste rempli de tendresse.

— Tu te sentirais peut-être mieux si tu te laissais aller de temps en temps. Pleure quand tu es éveillée, quand tu peux sentir le bien que ça fait.

Elle recula d'un pas.

— Non. Je suis maman et je suis le maire. Je n'ai pas le droit de me laisser aller.

— Tout le monde a le droit de se laisser aller.

Elle secoua fermement la tête et d'une voix brouillée de larmes contenues, elle articula :

— Je dois rentrer.

— Pourquoi ? demanda-t-il avec douceur. Les petites ne sont pas là. Pourquoi ne pas passer la nuit ici ?

— Tu avais promis de ne pas insister.

— Je n'insiste pas, je pense que tu as envie de rester et je te donne l'occasion de l'admettre.

D'un air de défi, elle posa la main sur la poignée de la porte.

— Je dois retrouver mon père pour le petit déjeuner.

— Je te conduirai.

— Non, non !

Sa véhémence la surprit elle-même. Elle devait s'échapper d'ici… avant de craquer. Mais quelle sotte elle avait été ! Elle était venue ici dans la voiture de Harry et ne pourrait repartir que s'il la reconduisait.

— Je… je t'en prie, ramène-moi à l'auberge et ne dis plus un mot.

— Rien du tout ? Pas même « attache ta ceinture » ou « est-ce que tu as assez chaud » ?

— Rien du tout ! Ou je ne serai pas responsable des conséquences.

— J'ai toujours assumé les conséquences de mes actes, dit-il d'un ton léger. Prépare les représailles que tu voudras mais, moi, je ne me tairai pas. Je te dirai que tu as envie de rester près de moi parce que notre amour est toujours aussi fort. Il a hiberné pendant toutes ces années mais, maintenant, je suis de retour. Tu vas devoir cesser de faire comme si tout allait bien pour toi, comme si tu étais parfaitement satisfaite de ta vie.

Oh, non, pensa-t-elle en sentant les larmes ruisseler sur ses joues. Devoir affronter tout cela une fois de plus, alors qu'elle était si fatiguée… C'était trop injuste.

— Harry, gémit-elle d'une voix suppliante. Crois-moi : ce n'est pas possible.

— Désolé. Je t'ai crue il y a dix-sept ans quand tu as refusé de partir avec moi. Cette fois, je ferai les choses à ma façon. Nous sommes faits pour être ensemble et je ferai tout pour que tu m'aimes de nouveau.

Elle ferma les yeux. Il ne comprenait donc pas qu'elle l'aimait déjà ? Qu'elle n'avait jamais cessé de l'aimer ?

Il tendit — enfin ! — la main pour prendre son blouson. Elle se crut sauvée. Ce fut l'instant que choisit le bébé pour lui donner un violent coup de pied dans la colonne vertébrale. Elle poussa un petit cri, plaqua une main dans son dos et s'accrocha instinctivement au bras de Harry. Il la soutint, l'entraîna vers un siège.

— Qu'est-ce que c'est ? s'écria-t-il. Une douleur ? Une contraction ? J'appelle ton médecin ?

Le bébé rua de nouveau, cette fois vers l'avant.

— Non, gronda-t-elle, ce ne sont que des coups de pied, mais il doit être de très mauvaise humeur !

Il s'assit près d'elle, posa doucement la main sur son ventre.

— On le comprend un peu ! Il cherche à se faire une place au milieu de tout ce stress et de ces émotions refoulées…

Avec un sourire impudent, il ajouta :

— Et il sait exactement ce qui se passe en toi. Il sait que

153

tu te racontes des histoires quand tu soutiens que tu ne veux pas que ça marche entre nous.

— Je n'ai pas dit que je ne voulais pas, mais que c'est impossible. J'ai été la femme d'un autre, j'ai deux filles. Elles ont été angéliques le soir où tu as dîné avec nous, mais, crois-moi, elles peuvent être insupportables quand tout ne se passe pas comme elles voudraient.

Poussant un gros soupir, elle conclut d'une voix lasse :

— Dix-sept ans, c'est très long. Nous avons pris des chemins trop différents.

Il cala un coussin dans l'arrondi du canapé, la pressa doucement de côté pour l'y appuyer, souleva ses pieds pour qu'elle s'allonge tout à fait.

— Si c'était vrai, dit-il avec tendresse, nous ne nous retrouverions pas sous le même toit ce soir, aussi à l'aise qu'autrefois.

— Tu es à l'aise, toi ? demanda-t-elle d'un air de doute.

Il lui retirait ses chaussures, étendait le plaid sur elle.

— Oui. Et toi aussi, même si tu ne veux pas te l'avouer. Le bébé s'est calmé ?

Elle posa la main sur son ventre. Son dos lui faisait mal, une force semblait chercher à écarter ses côtes, mais cela, elle en avait l'habitude…

— Oui.

— Bien. Reste ici où je peux t'avoir à l'œil, et je t'emmènerai retrouver ton père demain matin.

Il actionna un interrupteur ; elle ne vit plus que la lueur des flammes qui sautaient gaiement dans l'âtre, et une grande ombre, celle de Harry en train d'ajouter une bûche.

Sans avertissement, le stress et la tension de cette soirée s'évanouirent. Pourtant, rien n'avait changé, tous ses problèmes étaient là, fidèles au poste. Fermant les yeux, elle écouta les bruits que faisait Harry en tisonnant le feu, ses pas qui traversaient la grande pièce quand il alla verrouiller la porte d'entrée, puis retourna dans la cuisine. Des bruits réconfortants, qui l'aidaient à se détendre.

Elle sentit un mouvement, tout proche. Ouvrant ses paupières lourdes, elle vit Harry assis au bout du canapé.

— Dors, murmura-t-il, en pressant gentiment son pied sous la couverture. Tout va bien.

— Pour l'instant en tout cas, di-t-elle dans un soupir.

Harry se réveilla, courbatu et frigorifié. La chaudière était passée automatiquement à son réglage de nuit et il n'y avait plus de feu. Pressant le bouton de sa montre pour l'illuminer, il vit qu'il était 3 heures.

Près de lui, Jackie dormait, recroquevillée sous sa couverture trop légère. Se levant, il alla manipuler le thermostat et refit du feu pour tiédir un peu l'atmosphère en attendant que le chauffage central fasse son effet. Puis il courut à l'étage chercher des couettes supplémentaires.

Il étendait la plus épaisse sur Jackie quand elle prononça son nom. Sa voix dans la pénombre était si plaintive qu'elle lui serra le cœur.

— Je suis là, dit-il tout bas en ajoutant une autre couverture.

Il cherchait à la border quand elle saisit sa main.

— J'ai froid, marmotta-t-elle du fond de son sommeil. Tellement froid.

— Je viens de rallumer le feu.

Doucement, il chercha à dégager sa main pour lui donner encore une couverture ; elle s'accrocha à lui.

— Froid, murmura-t-elle encore.

— Tu peux te redresser ?

Il la sentait grelotter.

— Sommeil, chuchota-t-elle.

Souriant, il passa les mains sous elle pour soulever ce corps lourd et voluptueux de femme enceinte. Se glissant dans l'angle du canapé, la dernière couverture drapée sur ses épaules, il la rallongea sur ses genoux. La manœuvre ne fut pas commode, mais dès qu'elle comprit qu'elle aurait plus chaud dans ses bras, elle se retourna d'elle même et se blottit contre lui, le visage pressé contre sa poitrine.

— Mmm, soupira-t-elle.

Il la serra contre lui, tout heureux. C'était là sa place et la sienne.

Et pour cela, il ne renoncerait pas.

Pas tant qu'ils ne seraient pas ensemble toutes les nuits.

10.

En ouvrant les yeux le lendemain matin, Harry découvrit un jour gris et maussade… et Jackie dans ses bras, son regard profond fixé sur lui. Toute tiède, les cheveux en désordre, avec son expression d'autrefois faite d'amour, d'admiration et de tendresse. Pourtant, il y lisait aussi de la tristesse et cela le troubla.

Il plongea son regard dans le sien, s'efforçant de prendre la mesure de cet ennemi de leur bonheur. D'où venait cette ombre dans le doux gris de ses yeux ? De la souffrance qu'il lui avait causée ? Non, sûrement pas, il y lirait moins d'affection s'il était responsable de sa tristesse.

Elle sourit et dit tout bas :

— Tu souris toujours en dormant.

— Parce que tu étais dans mes bras.

Happant au vol l'index qu'elle tendait vers sa bouche, il y posa un baiser. Elle le stupéfia en se haussant vers lui pour embrasser légèrement ses lèvres.

— C'est la meilleure nuit que j'ai passée depuis la naissance d'Erica, dit-elle. Merci.

Il ne pouvait pas en dire autant ! Sur le plan du repos, c'était même sa plus mauvaise nuit depuis que son équipe à la Nasa avait réussi à ramener les astronautes sains et saufs au mois d'août…

Mais pour le reste, c'étaient les six heures les plus délicieuses qu'il ait passées en dix-sept ans.

— Dès que tu me laisseras faire, je compte te rendre le même service chaque nuit, murmura-t-il.

Elle poussa une petite exclamation mi-agacée, mi-amusée, mais la tristesse était revenue noyer ses yeux. Le repoussant, elle entreprit de se lever. Voyant qu'ils ne seraient pas trop de deux pour l'extraire de son cocon, il se dégagea, se mit sur pied et, saisissant ses mains dans les siennes, il la hissa à la verticale. Elle poussa un grognement d'effort qui se mua en exclamation irritée.

— La prochaine fois que je décide d'avoir un bébé malgré mon grand âge, rappelle-moi ces moments où je me déplace comme une Buick sans roues !

Il alla ramasser son sac à main abandonné près de la cheminée et le lui apporta en répondant :

— La prochaine fois que tu décideras d'avoir un bébé, je serai suffisamment impliqué pour avoir le droit de le faire.

Elle lui jeta un regard sévère, sans daigner répondre. Tout à coup, il ne supporta plus ce silence qu'elle lui opposait. Ouvrant les bras dans un grand geste impuissant, il s'écria :

— Quel que soit le problème, il ne va pas s'en aller ! Nous devons aborder la question qui te tourmente. Toi, tu dois l'aborder.

— Harry, ne commence pas, demanda-t-elle sans élever la voix. Sais-tu où sont mes chaussures ?

Il montra le plancher, juste devant elle ; elle dut reculer d'un pas pour les voir. Poussant un bref soupir agacé, elle ouvrit les bras pour assurer son équilibre et tenta d'y glisser ses pieds. Impossible, ils avaient dû gonfler pendant la nuit. Elle esquissa un mouvement pour se pencher et, se trouvant sans doute trop grotesque, leva vers lui un regard suppliant. Il croisa les bras.

— Dis-moi pourquoi tu es si triste et je t'aiderai à mettre tes chaussures.

— Je suis triste, moi ? demanda-t-elle en feignant la surprise.

Dans un élan contenu, il posa la main sur sa joue, caressa du pouce la peau si fine de ses cernes.

— La tristesse gravée ici, on la voit même quand tu souris. Si tu n'avais pas tant de force de caractère, on ne verrait qu'elle. C'est la seule chose qui nous sépare encore, n'est-ce pas ? Plutôt que le fait que je sois parti, ou que tu sois restée.

Un instant, elle sembla absolument horrifiée, puis il vit poindre une expression trop familière : la détermination. Avait-il imaginé cet instant de faiblesse ?

— Tu étais d'accord pour qu'on soit amis, dit-elle froidement. Les amis ne se tourmentent pas.

Lui tournant le dos, elle alla glisser les pieds dans ses chaussures à lui et, lui jetant un regard de défi par-dessus son épaule, se dandina de toute sa vitesse vers la porte de la salle de bains. Vaincu, il se pencha pour ramasser ses bottines, la rattrapa à mi-chemin et les déposa sèchement dans sa main.

— Je me souviens, maintenant, observa-t-il. Tout devait toujours se passer comme tu l'avais décidé.

Elle ferma les yeux un instant. Un sourire presque cynique se dessina sur ses lèvres.

— Ça s'est arrêté peu après ton départ. Merci pour mes chaussures.

Plantant là les siennes, elle disparut dans la salle de bains.

A côté de Jackie, pensa-t-il, ramener une navette sur Terre était un jeu d'enfant.

— Reste donc déjeuner avec nous ! proposa Adam Fortin à Harry quand il déposa Jackie devant le Breakfast Barn.

Jackie sourit sans rien dire, en espérant que Harry comprendrait qu'il devait les laisser. Elle n'avait pas aimé ce petit éclair d'espoir dans les yeux de son père en la voyant arriver avec Harry dans la camionnette verte.

Harry interpréta correctement le message.

— Merci, mais je dois aller au bureau, dit-il en serrant la main d'Adam.

— Mais c'est samedi !

— Ce sont les interventions d'urgence du week-end qui font tourner la boutique. Amusez-vous bien, tous les deux.

Contente de pouvoir couper court à des explications gênantes, Jackie lui lança un au revoir joyeux. En guise de réponse, il lui saisit la tête à deux mains et couvrit sa bouche de la sienne dans un long baiser. Quand il la lâcha, il lui jeta un regard qui signifiait qu'elle ne pouvait s'attendre à décider toujours ce qu'elle voulait, puis il remonta dans sa camionnette.

Indignée, enchantée, ne sachant à quelle émotion céder, elle le suivit du regard sans réagir. Amusé de la voir rester muette, son père lui entoura les épaules de son bras.

— Après ça, je crois qu'il te faudra un repas solide !

Le Breakfast Barn était le rendez-vous favori de Maple Hill. On y servait des plats simples, copieux et délicieux à des prix raisonnables. Installé dans une ancienne grange, l'établissement offrait une salle principale très grande, avec un long comptoir et une foule de tables, et une seconde salle dans le fond où diverses associations tenaient leurs réunions. Les murs de briques rouges étaient décorés d'outils anciens, de photos des équipes sportives locales et de clients célèbres.

Sur chaque table, il y avait un petit bouquet de saison ; ce matin, de petites branches d'aubépine et de pin.

En se glissant sur une banquette face à Jackie, Adam leva le nez pour humer les arômes de bacon et de saucisse épicée. Tout autour d'eux, les couverts tintaient, les hommes et les femmes qui aimaient commencer leur journée ici bavardaient, détendus.

— Je n'ai jamais trouvé ailleurs d'endroit aussi sincèrement authentique, en dehors des pubs de la campagne anglaise, commenta-t-il.

— Alors tu n'as sûrement pas rencontré Sabrina dans un pub, répliqua Jackie en retirant son manteau.

Quand elle releva les yeux, son père la regardait fixement, les sourcils froncés.

— Voilà une drôle de remarque à me faire, alors que je viens juste de revenir...

Il fut distrait par la serveuse qui apportait des menus et leur versait du café.

— Ça alors ! Adam Fortin, s'écria la petite femme replète aux boucles couleur de vin rouge. J'avais entendu dire que vous étiez de retour en ville. Bonjour, Jackie.

— Rita, comment allez-vous ? demanda-t-il avec chaleur. Je suis arrivé hier soir, mais je vis à Miami, maintenant.

— Vous voulez rester près de la décoratrice ? s'enquit Rita.

— La... quoi ? demanda-t-il, interdit.

Pourquoi était-il si surpris ? se demanda Jackie. Avait-il déjà oublié la façon dont les informations circulaient par ici ?

— La princesse que vous avez emmenée avec vous...

Jackie attendit la réaction de son père. Allait-il se fâcher, ou se sentir valorisé parce que tout le monde savait déjà qu'il était arrivé avec une jeunesse dans ses bagages ? Malgré elle, elle prit un malin plaisir à le voir si confus. Contente de son effet, Rita Robidoux s'accouda à la banquette et consentit à révéler ses sources :

— Adeline est déjà passée ce matin, le conseil de la paroisse avait réunion à 7 heures.

— Et elle, comment a-t-elle su ? demanda Adam, plaintif.

— La mère du petit John Granger était là aussi, elle est secrétaire de l'association, expliqua Rita sur le ton de l'évidence. Elle nous a raconté pour la lampe chauffante.

Voyant l'expression de son père se faire orageuse, Jackie se hâta d'intervenir.

— Je prendrai une omelette, commanda-t-elle. Des fruits, pas de pain grillé ou de pommes de terre. Papa ?

— Comme d'habitude, lâcha-t-il sans se dérider.

— Vous dites que vous n'êtes plus d'ici, mais écoutez-vous ! s'exclama la serveuse sans se laisser démonter. Dans combien d'endroits pouvez-vous entrer après une aussi longue absence en disant « comme d'habitude » ?

Elle s'éloigna en souriant sans attendre de réponse.

Outré, Adam se tourna vers sa fille.

— Il n'y a donc plus aucune courtoisie ?

— Sabrina n'est pas plus courtoise, riposta-t-elle.

Un peu brutal sans doute, mais puisque le sujet avait déjà été abordé aussi crûment, autant dire ce qu'elle avait sur le cœur.

— Moi, elle me plaît, articula-t-il en goûtant son café, l'air patient. Je l'ai rencontrée pendant ma croisière, nous nous sommes bien amusés et ma compagnie lui convient.

Trouvant sans doute son expression un peu sceptique, il demanda froidement :

— Tu ne penses pas que ce soit possible ?

— Bien sûr que si.

Elle faillit ajouter qu'elle était mal placée pour juger de qui pouvait s'assortir à qui ! Trouvant cette idée trop dérangeante, elle revint dans le registre plus confortable des reproches.

— Moi, j'ai plaisir à être avec toi, et tes petites-filles t'adorent. Toute l'équipe de l'Auberge est enchantée de te voir revenir à la maison, tu n'as que des amis à Maple Hill. Ne t'y trompe pas, papa, ton foyer est bien ici, mais tu ne veux plus le croire parce que maman n'est plus là. Eh bien, j'ai une nouvelle pour toi : le reste de ta famille y est encore. Tu viens de passer deux ans à chercher je ne sais quoi, histoire de te prouver que tu es encore séduisant. Il serait temps de regarder les choses en face. Tu es encore vivant et maman… ne l'est plus. Et tout le monde se demande quand tu vas reprendre tes esprits.

— Oh, vraiment ? articula-t-il en se penchant vers elle, les coudes sur la table. Eh bien, laisse-moi te dire quelque chose, moi aussi : je n'ai jamais vécu ma vie dans le but de satisfaire les attentes des gens de Maple Hill. J'aime cette ville et tous ces amis dont tu parles, mais ce sont bien les gens les plus envahissants que je connaisse…

Elle soutint son regard sans flancher.

— C'est vrai, je le sais. Mais tes petites-filles ? Depuis deux ans, elles ne te voient que pour de brèves visites, et voilà que tu rentres avec une femme qui a le tiers de ton âge et qui est une affreuse snob !

— Mes petites-filles et moi, nous nous comprenons très bien. Tu n'as pas à…

Il s'interrompit abruptement : Rita venait de reparaître avec son jus d'orange.

— Tu n'as pas à me rappeler mes devoirs de grand-père, reprit-il plus bas dès qu'elle s'éloigna. Et tu es mal placée pour me faire des reproches. Moi, au moins, j'essaie de garder un cœur vivant. Depuis que tu as compris quelle erreur tragique tu avais faite en épousant Ricky, tu as tout simplement cessé de t'occuper de ta vie sentimentale. Tout à l'heure, quand Harry t'a embrassée, tu avais l'air stupéfaite. Je parie que tu n'as aucune idée de ce qui se passe entre vous.

— Papa, dit-elle en soupirant, comment saurais-tu ce qui se passe entre nous ?

— John est aussi bavard que sa mère, répliqua-t-il. Et je ne suis pas le seul dans cette famille pour qui les braves gens de Maple Hill se font du souci. Tu aurais dû partir avec Harry, la première fois.

Elle le fixa, bouche bée.

— Tu sais ce qui m'a retenue ! Et il ne m'a même pas laissée m'expliquer.

— Il ne fallait pas te dégonfler, insista-t-il, implacable. Tu devais le forcer à t'écouter.

— Papa !

Il passa la main sur son front, goûta son jus d'orange et se renversa contre son dossier en secouant la tête d'un air de regret.

— Je reconnais que tu as vécu courageusement avec ta décision. Tu as fait au mieux dans une situation impossible mais franchement, Jackie ! Tu tiens ta chance de tout réparer.

— Certaines choses ne se réparent pas, papa.

— Oh, si, soupira-t-il. Tout se répare, mais ce n'est pas toujours facile. Ecoute : Harry est revenu ici, il est toujours amoureux de toi. Tu as deux options. Soit tu viens à Miami pour ne plus être obligée de le voir chaque jour...

S'interrompant un instant, il scruta son visage. Lui au moins semblait comprendre à quel point cette situation l'épuisait déjà !

— Ou tu vas devoir... réparer, conclut-il doucement, en posant sa main sur la sienne.

Il avait raison, bien sûr, mais elle était à peu près certaine que la première tentative de « réparation » mettrait fin à toute communication entre eux. L'amour qui lui avait échappé autrefois, l'amour qui s'offrait à elle une seconde fois avec tant de générosité, lui serait retiré pour toujours.

Cela, elle ne voulait même pas y penser. Revenant à leur conversation première, elle lança :

— Et toi, tu t'attends à ce que Sabrina répare tout pour toi ?

— Oh, je ne sais pas, fit-il en haussant les épaules. Nous nous intéressons aux mêmes choses, elle est intelligente, drôle, elle me trouve drôle aussi. Comme elle avait deux semaines de liberté entre deux chantiers, je l'ai invitée à venir rencontrer ma famille. Je sais bien qu'elle se montre parfois un peu exigeante, mais elle est à la tête d'une grosse entreprise ; si elle manquait de poigne, tout s'effondrerait. Ne prends pas ça personnellement.

Il avait raison sur un point : lui au moins se montrait prêt à tenter une nouvelle relation, à risquer son cœur. Cela, elle ne pouvait que le respecter.

— Quand pouvez-vous venir dîner, tous les deux ? demanda-t-elle.

Rita revint disposer leurs plats sur la table.

La remerciant d'un sourire, elle précisa :

— Les filles sont absentes jusqu'à dimanche soir. Un week-end avec Adeline Whitcomb et leur groupe.

Il leva les yeux au ciel avec une mimique comique.

— Comment va Adeline ? Elle fait toujours marcher le monde à la baguette ?

— Elle s'occupe sûrement aussi des autres planètes, depuis que son fils travaille pour la recherche spatiale.

— Ça ne m'étonnerait pas d'elle. Autrement dit, tu es seule ce week-end ?

Elle hésita un très bref instant. Et s'il allait l'inviter à passer la journée avec eux, histoire de faire plus ample connaissance avec Sabrina ?

— Seule avec une montagne de lessive, les fiches de paie de l'Auberge et les dossiers de la mairie, dit-elle. Comme je n'ai pas les filles dans les jambes, je pense abattre pas mal de travail.

Sa porte de sortie préparée, elle demanda aimablement :

— Et vous, qu'est-ce que vous faites ?

— Sabrina a une amie à Amherst, nous irons la voir cet après-midi. Et demain, elle aimerait juste rouler au hasard, voir les Berkshires en hiver.

Sur ce plan au moins, la jeune femme faisait preuve de bon goût : la petite chaîne montagneuse était magnifique à toute époque de l'année.

— Et si je vous réservais une table au DeMarco pour le déjeuner ? proposa-t-elle.

Il sembla agréablement surpris par sa proposition.

— Merci ! Tu es gentille.

— C'est normal, répliqua-t-elle. En échange, promets-moi qu'elle ne deviendra pas ma belle-mère.

Sans se formaliser, il lança :

— Tu me permets tout de même de m'exhiber avec elle, histoire de concentrer les ragots sur nous ?

Rita était revenue sans qu'il s'en aperçoive.

Leur resservant du café, elle commenta :

— C'est déjà fait. On ne parle plus que de vous.

Le week-end fila beaucoup trop vite. Jackie vint à bout de sa lessive, termina les fiches de paie de l'Auberge. En réalité, elle n'avait pas de travail en retard pour la mairie, mais elle fut tout de même tentée de passer au bureau — mais ce serait courir le risque de croiser John Brockton, et elle ne voulait pas gâcher sa solitude. Lundi arriverait bien assez tôt.

Le dimanche après-midi, elle fut donc libre de s'installer dans le salon pour profiter de la paix et du silence. Dès l'instant où les filles passeraient la porte, ce serait fini ! En temps ordinaire, emportée dans le tourbillon du quotidien, elle n'y pensait guère, mais avec le stress accumulé de ces dernières semaines, elle rêvait parfois à ce luxe inouï : avoir la maison pour elle pendant quelques heures.

Pourtant, elle ne parvint pas à savourer cette plage de tranquillité. Elle ne cessait de se demander pourquoi Harry n'avait pas téléphoné, tout en s'en voulant de s'en inquiéter. C'était trop stupide, ce lien fragile entre eux ne pourrait déboucher sur rien... mais lui pensait encore le contraire. Le jour où il changerait d'avis, le jour où il finirait par croire ce qu'elle lui répétait, ce serait terminé. Tout en elle se révulsait à cette idée et pourtant, c'était bien ce qu'elle voulait, n'est-ce pas ?

Profondément troublée, elle se demanda ce qu'il ferait. S'intéresserait-il à une autre ? S'il fallait en croire Haley, les candidates ne manquaient pas. Un jour, il accepterait peut-être de rencontrer la nièce de l'amie d'Adeline...

Il était temps de penser à autre chose ! Passant dans la cuisine, elle se mit à faire des cookies, mais cette tâche trop simple ne lui occupa pas suffisamment l'esprit. Elle ne cessait de se revoir à l'inauguration du Perk Avenue, assise à la même table que Harry. Puis elle repensa au sandwich au bacon qu'il avait confectionné pour elle... Elle revit chaque conversation, chaque geste.

Enfin, à bout, elle poussa une exclamation exaspérée... et son supplice prit fin. La porte d'entrée s'ouvrit à la volée, Erica et Rachel parurent, Adeline sur leurs talons. Toutes trois parlaient en même temps, lui agitaient sous le nez des souvenirs rapportés de leur excursion. Elle rit, s'exclama, les interrogea, et le visage de Harry s'effaça de son esprit.

Les premières impressions échangées, les filles filèrent monter leurs sacs de voyage à l'étage.

— Nous nous sommes amusées, si tu savais ! s'exclama Adeline. Et tu seras contente de savoir qu'elles ont été gentilles, serviables et polies pendant tout le voyage.

— Attendez… nous parlons bien de mes filles ? lança Jackie, taquine.

— Mais oui ! Elles sont très agréables, tu peux être fière d'elles. Alors, quand vas-tu décider des couleurs ?

— Des couleurs ? répéta Jackie, perplexe.

— La couleur dominante pour le mariage !

— Vous emmenez mes filles pendant un week-end et voilà que l'une d'elles va se marier ? s'écria Jackie en riant.

Adeline lui lança une tape sur le bras.

— Mais non, ton mariage à toi ! Rachel m'assure que c'est décidé, mais Erica pense que tu vas te dégonfler. Alors, qui a raison ? Je suis tout de même la mère du marié, il me faudra un peu de temps pour…

Jackie ne l'arrêta pas tout de suite, trop occupée à se demander laquelle des opinions de ses filles la troublait le plus. Se secouant enfin, elle réussit à lancer :

— Très drôle ! J'ai vu votre fils plusieurs fois, nous avons passé de bons moments ensemble, mais ce n'est pas une raison pour vous précipiter pour acheter une robe.

Adeline eut une grimace déçue.

— Tu es sûre ? Vraiment ? Les filles et moi, nous avions réfléchi à la cérémonie et à la réception.

— Je n'en doute pas, Adeline.

Elle l'embrassa gentiment, enfila une veste et sortit pour la raccompagner jusqu'à sa voiture.

— Si jamais les choses évoluaient, vous serez la première à le savoir, lui promit-elle.

— Le bleu me va bien. Le vert, ce n'est pas mal. Le jaune, c'est une catastrophe, j'ai l'air malade et le rose, ce n'est vraiment pas moi. Tu sais, une jolie teinte lavande…

— Adeline !

— Je pourrais acheter une robe pour Pâques qui ferait double emploi, mais…

Jackie décida que le seul moyen de la faire taire serait de ne plus rien entendre.

— Merci pour ce week-end, les filles ont l'air enchantées. Les pauvres, elles n'ont guère l'occasion de partir…

— Elles ont besoin d'un homme dans leur vie, décréta Adeline en ouvrant la portière de sa voiture. Tu n'imagines pas à quel point Harry est superbe en habit noir !

— J'ai déjà vu Harry en habit noir. A notre bal de fin d'études.

— Oui, dit la mère de l'intéressé d'un air de reproche, mais c'était avant qu'il n'ait des épaules !

— Bonsoir, Adeline, dit Jackie d'un ton ferme.

— Bonne nuit, Jackie, répondit son amie dans un soupir.

Les filles mirent très longtemps à se calmer. Elles ne cessaient de raconter à tue-tête les péripéties de leur week-end, sans écouter ce que disait l'autre. Le dîner était avalé, elles avaient pris leur bain mais elles semblaient toujours aussi réveillées.

— Et toi, qu'est-ce que tu as fait pendant qu'on n'était pas là ? demanda tout à coup Erica. Tu es sortie ?

Toute fraîche dans son pyjama propre, elle avait les coudes sur la table et le menton dans les mains. Ce n'était pas tout à fait la posture bien élevée qui avait tant plu à Adeline, pensa Jackie, mais elle n'allait pas se formaliser le soir du grand retour !

La question de ce qu'elle avait fait de son week-end sembla beaucoup intéresser ses filles. Une fois de plus, elle se demanda pourquoi son aînée était si sûre qu'elle ne s'engagerait pas.

— Eh bien, oui, en fait, répondit-elle, buvant avec désinvolture une gorgée de tisane. Quand j'ai terminé mon service à l'Auberge vendredi, Harry m'a emmenée manger un sandwich.

Les deux filles se redressèrent brusquement.

— C'est vrai ? demandèrent-elles en chœur.

Elle hocha la tête, sans préciser qu'elle avait passé la nuit chez lui.

— Il t'a embrassée ? demanda Erica.

Où voulaient-elles en venir ? Elle ne voulait ni les encourager à croire qu'il pourrait entrer dans leur vie, ni leur annoncer qu'il disparaîtrait sans doute du jour au lendemain. Il fallait trouver le juste milieu, et mettre très vite les choses au clair. Déjà, Erica tendait l'index vers elle en criant :

— Tu as rougi ! Ça veut dire qu'il t'a embrassée !

— Eh bien, oui.

A quoi bon le nier puisque ses filles lisaient en elle comme dans un livre ouvert ?

— Juste une fois ?

— C'était bien ?

— C'était bien, oui.

— Il t'a enlevé tes habits ? piailla Rachel.

Sa grande sœur se tourna vers elle, furieuse.

— Ne sois pas bête ! Maman est enceinte.

Surprise par cette réaction de colère, Rachel expliqua :

— A la télé, chaque fois qu'ils se mettent à s'embrasser, ils enlèvent leurs habits.

— Qu'est-ce que vous avez regardé, toutes les deux ? s'alarma Jackie.

— C'est Ashley qui me l'a dit, insista Rachel. Elle peut regarder tout ce que ses parents regardent.

L'air inquiète tout à coup, elle révéla :

— Ça fait mal d'avoir un bébé, tu sais. La maman crie parce que le bébé doit sortir par son nombril.

Erica s'effondra sur la table en hurlant de rire, la tête enfouie dans ses bras croisés.

Réprimant son propre sourire, Jackie prit son courage à deux mains. Ce n'était pas le moment qu'elle aurait choisi, mais voilà au moins une question qu'elle pouvait régler tout de suite. Elle venait justement d'acheter un livre pour les enfants expliquant la naissance, en prévision du moment où les filles lui poseraient ces questions.

— Non, ce n'est pas tout à fait ça, dit-elle gentiment. Ça fait mal, oui, mais il y a des médicaments pour enlever la douleur si c'est trop pénible, et pour aider le bébé à arriver en toute sécurité. Rachel, puisque c'est l'heure de te coucher, je vais te lire un livre qui raconte comment ça se passe.

Rachel monta sans protester et se jeta dans son lit, impatiente d'entendre les grandes révélations. Erica, qui se moquait quelques minutes plus tôt de l'ignorance de sa sœur, les suivit à l'étage et s'attarda près de la porte.

— Tu restes avec nous ? proposa Jackie en tapotant le lit près d'elle.

Erica s'approcha un peu, l'air désinvolte.

— Oh, moi, je sais tout ça mais il y a des choses qui sont… un peu floues.

Jackie approuva de la tête avec beaucoup de sérieux.

— Oui, eh bien, voilà de quoi tout clarifier.

Ouvrant le livre, elle se mit à lire.

*
**

En ouvrant les yeux le lundi matin, Jackie se sentit énorme, sans forces et très déprimée. S'il fallait en croire Haley, Brockton et Benedict entameraient leur procédure aujourd'hui. Elle ne voyait pas comment leurs accusations pourraient tenir la route, mais le simple fait de la mettre en cause suffirait à jeter le doute dans l'esprit de certains. Sa position en tant que maire deviendrait encore un peu plus difficile, elle devrait surveiller chaque parole et chaque geste.

Bon, elle avait déjà enduré pire, se dit-elle en se levant de son lit. Seulement voilà, jusqu'ici, ses humiliations n'étaient pas aussi publiques. Si son mari ne l'aimait pas suffisamment pour lui rester fidèle, la commune entière ne le savait pas. Quant à ce qu'elle avait fait à Harry... elle était parvenue à l'oublier, ou tout au moins à adoucir le souvenir en se répétant que ses intentions étaient bonnes.

Endossant comme une armure son dynamisme habituel, elle réveilla Erica et Rachel et leur fit des crêpes pour le petit déjeuner. Pendant qu'elles mangeaient, elle vérifia l'emploi du temps affiché près de la porte de la cuisine. Préoccupée comme elle l'était par ses propres difficultés, elle redoutait d'oublier une de leurs activités, un rendez-vous ou une invitation après l'école. Non, les filles n'avaient rien aujourd'hui, mais elle-même devait aller faire une échographie juste après le déjeuner. Cela tombait mal ! Pourtant, elle ne pouvait pas reporter le rendez-vous ; elle avait déjà annulé le précédent, programmé à quatre mois de grossesse, elle ne savait même plus pourquoi. Depuis, elle n'était pas parvenue à trouver un moment pour en prendre un autre. Si par hasard elle y pensait, elle remettait à plus tard en se disant que sa grossesse se déroulait tout à fait normalement. Pour la décider, il avait fallu que son médecin la menace...

Elle arriva à la mairie à l'heure. Une sorte de délégation l'attendait dans le foyer : Brockton, Benedict et un grand type mince qu'ils lui présentèrent comme étant l'avocat du comité de révocation. Sans qu'on lui laisse le temps de retirer son manteau ou de poser son sac, elle dut prendre la grosse liasse de papiers que lui remettait solennellement l'avocat. Du coin de l'œil, elle nota la présence de Haley, ainsi que d'un représentant de la radio locale. Manifestement, ses deux adjoints tenaient à l'attaquer de la façon la plus publique possible.

Alerté, le personnel de la mairie était sorti des bureaux et assistait à la scène, sur le seuil des portes ou penchés sur la rampe de la galerie du premier. Adeline et Parker étaient même montées du sous-sol. L'éclair d'un flash jaillit. Haley faisait son travail en couvrant l'événement.

Derrière elle, la grande porte claqua. Evelyn, sa secrétaire, venait d'arriver à son tour.

Jaugeant la situation d'un coup d'œil elle s'exclama, outrée :

— Vous ne pouvez pas faire ça ! C'est injuste, c'est totalement déplacé et vous le savez très bien !

S'arrachant avec effort à la lassitude et au dégoût qui l'envahissaient, Jackie décida de réagir.

— Non, Evelyn, dit-elle d'une voix claire, qui portait loin, c'est la procédure normale. Si quelqu'un a un doute sur la probité d'un élu, il se doit de poser des questions et d'obtenir des réponses. Nous avons une obligation de transparence.

Elle brandit la liasse de papiers vers Haley, lui laissa le temps de prendre une autre photo, et lança un sourire plein d'assurance aux personnes présentes.

— L'audience me donnera l'occasion de prouver que je suis effectivement honnête, et que MM. Brockton et Benedict…

Elle s'interrompit une fraction de seconde pour passer en revue tout ce qu'elle aurait aimé dire. Non, décida-t-elle, elle ne descendrait pas au niveau de ceux qui l'attaquaient. Elle se contenterait de prouver qu'elle était apte à gouverner.

— … ont des attitudes assez obscures, acheva-t-elle d'une voix ferme, dépourvue de toute amertume. Maintenant, j'aimerais que chacun retourne à son travail. La commune ne se gère pas toute seule.

— Quelques questions, madame le maire ? lança Haley de sa place en bas des marches.

— Bien sûr, répondit-elle. Nous pouvons parler dans mon bureau.

Elle se dirigea vers l'escalier, Evelyn près d'elle. Toutes trois montèrent lentement, en silence. En bas, les gens se dispersaient.

— Je suis passée à la pâtisserie, glissa Evelyn tout bas. Il m'a semblé que nous aurions besoin de réconfort. Je vais vite faire du café.

Elle s'éclipsa, laissant Haley et Jackie ensemble dans le bureau du maire.

— Alors, quelle est ta stratégie ? demanda Haley en se laissant tomber sur le petit canapé. Tout le monde t'aime, tu as la confiance de tes électeurs, mais je veux tout de même m'assurer que tu te défendras sérieusement.

— Oui, bien sûr. Laisse-moi déjà lire les accusations. Quand je saurai exactement sous quel angle on m'attaque, je préparerai ma défense. Je suppose qu'il faudra que je prenne un avocat.

— Bart se propose pour te défendre gratuitement, murmura Haley qui prenait des notes. Alors, tu nies toute suggestion de malhonnêteté dans ton administration ?

— Absolument.

— Sans même avoir lu les accusations ?

— Je n'ai jamais, depuis mon élection, fait un seul geste qui frise l'illégalité, je n'ai jamais cherché à retirer le moindre

174

bénéfice de ma position. Je n'ai pas besoin de lire les accusations pour le savoir.

Haley approuva de la tête.

— Excellente citation. Je peux prendre encore une des pâtisseries d'Evelyn ? Ou est-ce que je devrais penser à mon poids pour pouvoir entrer dans une robe de demoiselle d'honneur ?

— Pourquoi, tu as parlé à ta mère ? gémit Jackie. Ou à mes filles ?

Elle-même attaquait un énorme beignet aux pommes. C'était le moment où jamais de vivre l'instant présent.

— A Rita, au Breakfast Barn, répliqua son amie. D'après elle, Harry, Bart et quelques-uns des Gars de Whitcomb sont allés manger un morceau là-bas après leur entraînement de basket hier soir. Ils se moquaient tous de lui : apparemment, il avait très mal joué alors que d'habitude, ils comptent sur lui pour marquer. Ils en ont conclu qu'il était amoureux. Et vendredi soir, je ne pouvais vous joindre ni l'un, ni l'autre. Alors, simple coïncidence, ou deux imbéciles qui se décident enfin à être heureux ?

Jackie s'enfonça dans les coussins du canapé. Décidément, sa vie était trop compliquée pour qu'elle cherche encore à mentir. Elle raconta donc à son amie comment Harry était venu la chercher vendredi soir, et comment elle avait passé la nuit chez lui.

— J'étais stressée, et il sait être très réconfortant, dit-elle, comme s'il n'y avait aucune autre explication possible. Je n'avais pas aussi bien dormi depuis des années. Et c'est tout, il ne s'est rien passé de plus !

— Jackie, dit Haley en lui pressant le bras avec beaucoup de gentillesse, quand le moment est venu, on le sait ! Moi aussi, j'ai eu du mal à voir les choses en face, parce que je ne voulais plus faire confiance à personne. Ricky t'en a fait voir, mais Harry n'est pas comme ça et tu le sais très bien.

— Je le sais, oui…

Malgré elle, elle laissa échapper ce qui la tenaillait depuis samedi matin :

— … mais il ne m'a pas rappelée depuis !

— Il y a un gros problème d'électricité dans le logement municipal du troisième âge. Il devait dîner avec nous hier soir, mais il n'a pas pu venir.

— Ah…

— Pourquoi ne pas l'appeler, toi ?

— Ce n'est pas si simple !

— Mais si ! Parce que tu fais de la politique, tu penses que tout est complexe, mais ce n'est pas vrai. Tu l'aimes, il t'aime…

— Haley, gémit-elle en regardant sa montre, tu n'as pas des encarts publicitaires à vendre ou une maquette à monter ?

— Les encarts sont tous vendus et c'est l'ordinateur qui monte la maquette de nos jours. Mais je vois ce que tu veux dire.

Posant sa tasse, elle ramassa sa mallette.

— On déjeune ensemble ?

Jackie secoua la tête avec regret.

— Je ne peux pas, j'ai rendez-vous chez le médecin.

— Tout va bien, j'espère ?

— Oh, oui, c'est juste une échographie. Demain, alors ?

— D'accord. Les filles et toi, vous venez bien à l'anniversaire de maman, dimanche ? J'ai croisé ton père et je l'ai invité aussi.

Avec une grimace, elle précisa :

— J'ai aussi rencontré la Reine des Glaces.

Jackie éclata de rire.

— Elle est invitée, elle aussi ?

— Désolée, je ne pouvais pas faire autrement.

— Non, bien sûr.

Haley se leva et se dirigea vers la porte.

— 14 heures ?

— Nous y serons.

Demandant à Evelyn de filtrer tous ses appels, Jackie passa la matinée à lire le dossier d'accusation, ainsi que la charte de la commune fournie par le comité. Les paragraphes se rapportant à la révocation étaient passés au surligneur.

La plupart des accusations relevaient de la vindicte pure, et soulignaient surtout l'hostilité de Brockton à son égard. Il citait son absence à plusieurs réunions, mais elle ne s'était absentée que lorsque elle-même ou les filles étaient malades, les adjoints avaient toujours été prévenus la veille, et Paul Balducci présidait les réunions en se référant aux notes de Jackie sur les questions à l'ordre du jour.

Il qualifiait son soutien au projet du Perk Avenue de « trafic d'influence », et demandait une enquête ; il voulait également un audit du projet pour les sans-abri, suggérant que dix mille dollars manquaient sur le compte — mais il devait bien savoir que cette somme avait été versée à l'entreprise chargée du gros œuvre ! Seule l'accusation de détourner les chantiers municipaux pour en faire bénéficier Harry avait une chance d'être prise au sérieux.

« Bien, décida-t-elle, voyons la situation de l'extérieur. Nous sortions ensemble au lycée ; aujourd'hui, je suis maire et il décroche un chantier pour la commune, pour lequel il est parfaitement qualifié. » C'était tout de même un peu mince pour sauter à des conclusions de favoritisme.

Enfin... tant que personne ne les voyait ensemble, pensa-t-elle en se tassant sur son siège, découragée. Car, au fond d'elle-même, elle avait bien le sentiment d'être l'amante de Harry. Ils n'étaient plus ensemble depuis dix-sept ans, mais elle changerait cela demain si elle le pouvait.

Elle décrocha le téléphone pour appeler Bart.

11.

Peter Marcott, le radiologue de Maple Hill, poussa un long sifflement quand Jackie s'étendit sur sa table.

— Dites donc ! s'écria-t-il. Ce bébé doit s'être étalé comme sur un transat ! Ou alors ils sont trois à se cacher derrière lui. Je vais vous dire tout ça, nous avons nos méthodes d'espionnage.

Jackie lui lança une grimace.

— Vous ne me faites pas rire, Peter. J'ai déjà suffisamment de soucis en ce moment.

Il s'assit, posa l'embout de l'appareil sur son ventre et se pencha vers son écran en fronçant les sourcils.

— J'ai entendu parler de cette histoire absurde de révocation, observa-t-il. Ce n'est pas sérieux, j'espère ?

Tout en contemplant distraitement les tourbillons qui s'agitaient à l'écran, elle lui raconta en quelques mots l'attitude de John Brockton, déjà hostile alors qu'elle n'était que membre du conseil municipal, puis sa réaction outrée lorsqu'elle avait été élue maire et les efforts qu'il déployait depuis pour bloquer chacune de ses décisions.

— Et ensuite, j'ai encouragé Bridget et Cecilia à obtenir ce local très bien placé pour leur salon de thé, alors qu'il l'avait promis à son beau-frère pour y faire un fast-food. Le beau-frère n'a pas bouclé son projet de financement assez vite, et Perk Avenue l'a coiffé au poteau.

Elle poussa un gros soupir.

— Maintenant, il est persuadé que c'était dirigé contre lui, et il cherche à se venger. Je ne comprends pas pourquoi il fait tant d'histoires, tout le monde sait qu'il...

Peter laissa échapper une petite exclamation.

— Quoi ? s'écria-t-elle, inquiète. Il y a un problème ?

Levant la main pour lui demander le silence, il se concentra sur son écran. Le cœur battant, Jackie fixa l'image brouillée, elle ne parvenait jamais à y distinguer quoi que ce soit ; quand des amies enceintes lui montraient fièrement leurs échographies, elle s'extasiait sans savoir ce qu'elle voyait.

La frayeur commença à la gagner et elle chuchota :

— Peter, dites-moi...

Il lui jeta un regard rapide, vit son expression et se hâta de la rassurer.

— Tout va bien, Jackie ! C'est juste que...

Son long index vint se poser sur un petit point de lumière qui clignotait rapidement.

— Vous voyez ça ? C'est le battement de son cœur.

Un pincement d'émotion, un retour d'inquiétude...

— Je vois, oui. Il n'est pas normal ?

L'index se déplaçait déjà vers une autre pulsation de lumière.

— Et en voilà un autre. Quand je plaisantais tout à l'heure, je n'étais pas si loin du compte. Vous attendez des jumeaux.

Sa première réaction fut viscérale : elle marmonna un juron bien senti. Après la matinée qu'elle venait de passer, et compte tenu du chaos de son existence... sans parler du désastre suspendu au-dessus de sa tête depuis le retour de Harry ! Une idée absurde et terrifiante l'envahit : le médecin

180

se trompait peut-être, son bébé était parfaitement sain, mais il avait deux cœurs !

— Je vous comprends, murmura Peter en pressant une touche pour imprimer l'image. Je suis désolé. C'est un choc, bien sûr, mais les deux bébés ont l'air parfaitement formés. Vous voulez connaître leur sexe ?

Ses pensées, chaotiques, tourbillonnaient dans son cerveau et elle ne trouvait pas de mots pour les exprimer. Tout était trop difficile, elle ne pouvait pas, ne pouvait pas…

— Je… oui, d'accord, quel est le sexe ?

— Des garçons. Deux garçons. Attendez-vous à accoucher plus tôt que prévu : vu la taille de ces gaillards, je ne vois pas comment vous pourriez les mener à terme. Je vais appeler votre gynéco, voir s'il peut vous recevoir tout de suite.

Ce second rendez-vous se déroula dans une sorte de brouillard ; par la suite, elle se souvint uniquement que le médecin cherchait à l'encourager en lui répétant que les jumeaux étaient en parfaite santé.

— Vous allez juste devoir ralentir un peu, déléguer davantage au bureau, demander aux filles de vous aider davantage à la maison…

Toujours sous le choc, elle ne parvint pas à lui dire ce qu'elle pensait de sa suggestion. Son équipe à la mairie était déjà débordée, et si ses filles étaient de bonne volonté, le plus souvent elles n'étaient que des gamines. Elles jureraient de l'aider… et oublieraient la tâche en cours dès qu'elles auraient envie de jouer ou que ce serait l'heure de leur programme préféré.

— Je veux vous revoir mardi prochain, ordonna-t-il en la raccompagnant à la porte. Avant, si vous avez le moindre problème. Appelez-moi à n'importe quelle heure.

Elle partit marcher au bord du lac. L'air était vif et très froid, le petit bois très silencieux ; une fois atteinte sa vitesse de croisière, elle se sentit moins engoncée. Et elle parvint peu à peu à regarder sa situation en face. Deux bébés au lieu d'un seul, quatre enfants au lieu de trois. Un être supplémentaire qui dépendrait d'elle, elle qui avait gâché sa vie de façon si irrémédiable qu'elle ne s'en sortirait jamais. S'il y avait un Dieu, à quoi pensait-Il !

Elle devait retourner au bureau, faire face à ses obligations. Le sort avait beau s'acharner sur elle, le monde ne s'arrêterait pas de tourner ! Tournant le dos à la nature, elle revint vers le cœur de la ville — mais plus elle se hâtait, plus la confusion qui l'habitait se transformait en terreur. La panique montait, elle ne parvenait plus à respirer. Encore un petit effort et elle serait dans son bureau, elle appellerait Evelyn… Elle y était presque maintenant.

S'arrêtant au milieu du parking derrière la mairie, elle s'efforça de prendre une bonne respiration… mais rien ne vint.

Cette fois, c'était fini, elle allait étouffer là, à vingt mètres de la porte. Non, c'était trop absurde, il y avait bien de l'air dans ses poumons, il suffisait qu'elle se calme.

« Souffle… souffle, simplement. »

La porte de derrière était si proche. Oui, mais avec sa poitrine prise dans un étau, elle ne pensait réellement pas pouvoir l'atteindre… C'est alors qu'elle reconnut la camionnette de Harry. La porte coulissante sur le côté du véhicule était ouverte et il était là, la tête penchée sur un calepin. Elle voulut l'appeler, réussit seulement à pousser un petit couinement de détresse. Par miracle, il l'entendit. Elle le vit lever la tête, se retourner pour chercher l'origine du son, articuler son nom, stupéfait. Incapable de répondre, elle tendit la main vers lui.

Jetant son calepin dans la camionnette, il la rejoignit en courant et plongea son regard inquiet dans le sien. Incapable de parler, elle leva vers lui des yeux éperdus. Que c'était bon de le voir ! Il avait beau être à l'origine d'une bonne part de ses difficultés… Si seulement il voulait bien la prendre dans ses bras, elle serait sauvée.

Il dut lire dans ses pensées, car il l'enlaça et la berça doucement contre lui.

— Que se passe-t-il ? Des contractions ?

Elle secoua la tête, aspirant l'air comme un poisson hors de l'eau, terrifiée par le son rauque qu'elle entendait.

— Tu n'arrives pas à respirer ?

Comme si cela pouvait l'aider, il posa la main sur le bébé — les bébés ! Elle hocha la tête, fit un nouvel effort, et sentit un petit filet d'air filtrer dans ses poumons rigides. Encouragée, elle aspira encore et le blocage commença à céder douloureusement. Avec douceur, il l'entraîna vers la camionnette et elle le suivit en s'accrochant à lui.

— Je t'emmène à l'hôpital, annonça-t-il en la soulevant dans ses bras pour la déposer sur la banquette.

Violemment, elle secoua la tête.

— Ce n'est pas le moment de discuter, protesta-t-il en reculant pour fermer sa portière.

Elle saisit sa main, s'y accrocha.

— Je… tout va bien, maintenant, souffla-t-elle d'une voix enrouée, tout en continuant à inspirer l'air par à-coups.

Elle se tapota la poitrine pour bien lui montrer que tout fonctionnait de nouveau.

— Je… respire !

Il sembla soulagé, mais pas vraiment rassuré.

— C'est déjà ça, mais il me semble qu'on devrait chercher à savoir pourquoi tu as fait cette crise.

— Je peux te le dire. Tu veux bien… monter ?

Il referma la portière, rabattit le panneau coulissant, contourna le véhicule en courant et se hissa derrière le volant.

— Ecoute, je t'emmène…

Elle happa son blouson à pleines mains et l'attira à elle.

— Tiens-moi, supplia-t-elle.

— Mais tu…

Elle voyait bien que son comportement l'inquiétait.

— Je t'en prie, chuchota-t-elle.

Les larmes l'aveuglaient, elle sentait les sanglots se masser en elle. Cette fois, elle sut qu'elle ne parviendrait pas à les contrôler. Cette fois, elle allait craquer…

Il vit son expression et la happa dans ses bras.

— Bon, d'accord, calme-toi, murmura-t-il en lui frottant doucement le dos. Je ne sais pas ce qui se passe, mais on va arranger ça. Détends-toi, tout va bien. Je suis là.

Elle s'accrocha à lui et pleura. Très longtemps, ou peut-être seulement quelques instants ; elle ne le sut jamais, mais elle s'accorda enfin le luxe de s'abandonner dans ses bras en oubliant les problèmes insolubles de son existence. Tant que Harry la tenait, elle s'autorisa à croire que tout pouvait vraiment s'arranger, que les accusations de Brockton tomberaient d'elles-mêmes, qu'elle parviendrait à expliquer à Harry ce qui s'était passé, qu'il comprendrait et même… qu'il lui pardonnerait.

Soulevant la tête de son épaule, elle scruta son visage en essayant de deviner sa réaction. Au-delà de la gentillesse et de l'inquiétude, elle reconnut la force, l'intégrité qui faisaient de lui ce qu'il était. Ces qualités joueraient-elles en sa faveur ? Ce n'était pas sûr. Pourtant, sachant qu'elle devait tenir le coup pendant les semaines à venir, elle s'autorisa à penser que oui. Une fois que les bébés seraient nés, elle s'efforcerait de tout lui expliquer.

Un effort à la fois.

Harry ne comprenait toujours pas la raison de la crise de Jackie, mais il voyait bien que plus il la tenait contre lui, plus sa respiration s'apaisait. Pour l'instant, il n'avait pas besoin d'en savoir davantage.

S'écartant légèrement de lui, elle le regarda avec inquiétude, comme si elle cherchait une réponse dans ses yeux. Ce qu'elle vit ne sembla pas la satisfaire.

Etait-ce son amour qu'elle redoutait ? Il savait que cela la troublait qu'il s'obstine à l'aimer alors qu'elle ne voyait aucun espoir pour eux. Pourtant, elle s'était tournée vers lui dans sa détresse. Elle lui avait demandé de la prendre dans ses bras, l'avait même exigé ! Autrement dit, elle disait une chose et en vivait une autre.

Très vite, elle sembla se détendre ; il eut le sentiment qu'elle avait pris une décision. L'espace d'un instant, elle le serra de toutes ses forces, passa la main dans ses cheveux dans un geste qui faillit lui faire perdre tous ses moyens, et le lâcha.

— Tu dois me prendre pour une folle, souffla-t-elle.

Il s'écarta d'elle, se glissa sur le siège du chauffeur.

— Je te prends pour une folle depuis le jour où tu m'as dit que tu restais à Maple Hill, dit-il avec un sourire. Mais aujourd'hui, qu'est-ce qui se passe ?

Elle respira à fond, sans difficulté cette fois.

— Juste une crise d'angoisse, je crois.

— A cause de la révocation ?

— En partie, oui. Et en partie parce que je viens d'apprendre que j'attends des jumeaux.

Des jumeaux ! Deux pour le prix d'un seul. A ses yeux, c'était une bonne affaire plutôt qu'un gros souci, mais ce n'était pas lui qui allait devoir accoucher. Ou s'occuper d'eux au jour le jour en plus des filles, de les maintenir en bonne santé, de les éduquer.

Elever des enfants lui avait toujours semblé une responsabilité écrasante. Plus maintenant. Aujourd'hui, il se disait plutôt que ce serait un réel plaisir de faire pousser des petits avec elle — mais cela, elle n'avait sûrement pas envie de l'entendre pour l'instant ! Il se creusa donc la tête pour trouver une phrase rassurante, sans pour autant minimiser ses soucis. Le mieux serait sans doute de lui rappeler qu'elle serait bien entourée.

— On te trouvera toute l'aide dont tu auras besoin, assurat-il en lui pressant l'épaule d'un geste encourageant. Je sais que ma mère a déjà mobilisé ses amies et moi, je… je ferai ce que tu auras besoin que je fasse. J'emmènerai les filles à l'école et j'irai les chercher. Je ferai tes courses.

Elle posa la main sur son bras, le frotta doucement.

La douceur de ce geste lui était presque insoutenable.

— Merci mais malheureusement, cela ne ferait que donner plus de poids aux accusations de Brockton.

— Et pourquoi se préoccuperait-on de ce qu'il pense ?

— Tu as raison, mais si je veux me défendre, nous devrons être plus… circonspects.

— Je suis ton ami, dit-il en réprimant une grimace. Ça me donne le droit de t'aider, quelle que soit l'interprétation d'un fumier comme Brockton. Pour commencer, je te ramène chez toi.

— Je dois…

— Evelyn pourra annuler tes rendez-vous, insista-t-il. Tu n'as qu'à l'appeler en arrivant.

Il prit sa ceinture de sécurité, l'étira au maximum et la boucla pour elle.

— Mais je dois aussi prendre les filles à l'école.

— Je m'en charge.

— Harry !

— Tu as besoin de te reposer et de faire le point. Je te préparerai du thé, tu poseras les pieds sur ton pouf et tu essayeras de prendre du recul. Ensuite, on fera quelques projets pour les mois à venir.

Les sourcils froncés, elle s'écria :

— Tu n'as pas entendu un mot de ce que j'ai dit. Nous devons faire attention à ce qu'on nous voie pas trop ensemble !

— J'ai entendu, riposta-t-il en lui montrant d'un geste circulaire le parking vide qui les entourait. Tu vois quelqu'un nous espionner ?

— Non.

— Alors de quoi as-tu peur ? Détends-toi, laisse-moi faire.

Elle dut s'avouer que c'était agréable de se laisser prendre en charge. Il l'installa dans son fauteuil préféré, lui retira ses chaussures et la couvrit d'un châle avant de disparaître dans la cuisine pour préparer le thé. Avec un plaisir sans mélange, elle l'écouta ouvrir et refermer tiroirs et placards. Il occupait son espace, touchait ses affaires…

Des jumeaux, pensa-t-elle. Son humeur changeait déjà, elle y pensa avec fatalisme, et même une pointe d'humour. Elle posa la main sur son ventre. Dire qu'elle avait souvent pensé que cet enfant était un vrai petit contorsionniste : il donnait des coups de pied dans tant de directions à la fois ! Jamais elle n'avait imaginé que ces prouesses se réalisaient à deux.

Sans avertissement, une bulle de rire monta en elle, et ce fut une sorte de libération de la laisser jaillir.

— Voilà, c'est mieux ! dit Harry en revenant avec un plateau. Tu as pensé à la réaction des filles ? Elles étaient déjà ravies avec un seul bébé, imagine ce qu'elles vont dire. Elles auront chacune le leur !

Jackie se sentait déjà moins désespérée, mais elle ne put retenir un gémissement. Acceptant la tasse qu'il lui tendait, elle soupira.

— Oh, Harry… Un bébé, ça vous empêche de dormir

pendant des mois ; deux, ce sera épouvantable. Ils ne dormiront pas en même temps, ils se réveilleront mutuellement et ils ne tiendront aucun compte des jours où j'ai une réunion à 8 heures. Adeline a rameuté ses amies, mais on ne peut pas leur demander de passer la nuit ici, ou de se lever quand un bébé se met à hurler…

Il s'installa en face d'elle, sa propre tasse à la main ; elle vit qu'il réfléchissait sérieusement au problème.

— Ce qu'il te faut, c'est un mari, dit-il. Un homme qui a le droit et même le devoir de passer la nuit ici, et de se lever quand un bébé se met à hurler.

Elle secoua la tête avec lassitude.

— Les maris ne le font pas. J'en ai déjà eu un.

— Je serais ravi de te prouver le contraire.

Elle laissa passer plusieurs secondes. La maison était devenue très silencieuse tout à coup.

Il venait de la demander en mariage, pensa-t-elle, confondue. Il ne plaisantait pas.

— Harry…, murmura-t-elle, atterrée. Ça ne marcherait pas.

Il ne sembla pas abattu par son refus.

— Tu dis toujours cela, mais quand tu as eu besoin d'aide, tu t'es tournée vers moi.

— Tu étais sur le parking au bon moment.

— Non, dit-il avec conviction : tu étais contente que je sois là. Tu as eu besoin de moi, et tu es venue vers moi.

Il n'imaginait pas à quel point il disait vrai !

Redoutant qu'il ne lise cela sur son visage, elle se pencha sur sa tasse et récita d'une petite voix empruntée :

— Tu ne peux pas me demander en mariage dans une vague idée de racheter le passé.

— Ce n'est pas ça et tu le sais très bien, protesta-t-il.

188

Il posa assez brusquement sa tasse à laquelle il n'avait pas touché.

— Et si quelqu'un a besoin de se racheter, ce serait plutôt toi.

Elle leva vivement les yeux. Savait-il… ? Il scrutait son visage avec impatience ; elle comprit qu'il parlait uniquement de leur ancienne dispute.

— Je te demande en mariage parce que je t'aime, assenat-il. Je t'ai toujours aimée, même pendant toutes ces années d'absence. Et toi, tu m'aimes aussi. Tu peux toujours le nier, ça se voit dans tes yeux, ça se sent dans tes mains chaque fois que tu me touches.

— Oui, je t'aime, avoua-t-elle, emportée par une vague d'émotion.

Si elle s'attendait à le voir triompher, elle se trompait. Dans ses yeux, elle ne lut qu'un émerveillement et une joie pure. Très vite, elle ajouta :

— Je ne pense tout de même pas que nous devrions faire ça pour m'éviter de mauvaises nuits.

Il ouvrait la bouche pour protester ; elle secoua la tête pour le faire taire. Quelle situation terrible et insensée : il lui offrait ce qu'elle avait toujours désiré, et elle était obligée de refuser.

— Est-ce que nous pourrions en reparler une fois que les bébés seront nés, quand j'aurai réussi à m'organiser un peu ?

Elle songea que, d'ici là, elle aurait peut-être trouvé le courage de tout dire, et que Harry aurait peut-être la générosité de comprendre. Mais tout avouer, comme ça, de but en blanc… elle ne s'en sentait pas la force. Elle avait besoin de choisir le lieu et le moment.

Il se pencha vers elle, les coudes sur les genoux.

— Tu veux davantage de temps ? Nous avons déjà eu

dix-sept ans pour comprendre à quel point nous avons été stupides !

— Ce n'est pas ça, dit-elle avec un sourire suppliant. Tu n'imagines pas combien de fois j'ai regretté les choix que nous avons faits. Mais j'ai besoin de temps pour prendre pied sur quelque chose de plus solide que des regrets, pour y voir plus clair, et pour gérer un grand événement à la fois.

Pendant quelques secondes, il la regarda en silence.

— D'accord, déclara-t-il enfin. Plus tard, alors. Mais ne crois pas que je vais débarrasser le plancher en attendant. Brockton peut aller...

La sonnette de l'entrée l'interrompit. Jackie esquissa un mouvement pour se lever, mais il était déjà debout et lui fit signe de ne pas bouger. Elle se laissa retomber dans son fauteuil, infiniment soulagée d'avoir pu le détourner, même momentanément, de cette question de mariage.

Son père entra dans la pièce en coup de vent, le front plissé d'inquiétude, Sabrina sur ses talons.

— Que s'est-il passé ? demanda-t-il en se laissant tomber sur le pouf et en lui tapotant affectueusement les pieds. J'ai appelé ton bureau pour te parler du dîner, et ta secrétaire m'a dit que tu étais rentrée chez toi après ton rendez-vous chez le médecin. J'espère que tout va bien ?

Le dîner ! Elle avait complètement oublié que son père et Sabrina étaient ses invités ce soir. Elle offrit un sourire d'excuse à la jeune femme, et vit que, si celle-ci cherchait à prendre un air inquiet de circonstance, elle regardait autour d'elle avec la même expression avide qu'elle avait eue en découvrant l'Auberge. Elle devait imaginer la maison repeinte en blanc, avec des moquettes, des sièges retapissés...

— Je vais bien, papa, je suis juste un peu sous le choc. Figure-toi que je suis enceinte de jumeaux.

— Des jumeaux !

Il souriait largement. Elle réprima un mouvement d'agacement. Pourquoi tout le monde semblait-il trouver cela formidable d'avoir des jumeaux ?

Elle vit sur son visage le moment où il se ravisa — il venait sans doute d'envisager les choses de son point de vue ! Retrouvant son air anxieux, il demanda :

— Ça te fait quel effet ?

— Je me suis un peu affolée, sur le moment, avoua-t-elle. Heureusement, Harry n'était pas loin. Il m'a ramenée ici et il m'a fait du thé. Le premier choc est passé, je me sens plus calme et même un tout petit peu excitée.

Il lui embrassa la main.

— Les filles seront folles de joie.

— Ça, c'est sûr.

Cette pensée au moins lui procurait une joie sans mélange.

— Bon, à propos du dîner, je n'ai pas l'énergie de préparer un repas gastronomique ce soir. Je veux vous gâter ! Nous pourrions tous aller au...

Elle allait proposer de réserver une table au Vieux Relais mais son père l'interrompit d'un air embarrassé :

— En fait, j'ai appelé ton bureau pour te dire que Sabrina avait accepté une invitation chez les McGovern pendant que nous convenions de nous retrouver ce soir.

— Et même avant, précisa la jeune femme d'un air d'excuse, en se laissant tomber sur un siège. Ça ne vous ennuie pas trop si nous reportons à demain ? C'est nous qui invitons, bien sûr. Et, même si le Vieux Relais est tout à fait... charmant, je pensais que nous pourrions aller à Springfield, au Firelight.

S'il y avait une famille prétentieuse parmi la population bon enfant de Maple Hill, c'étaient bien les McGovern. Et s'il y avait un restaurant que Jackie n'appréciait pas, parce qu'il poussait l'élégance jusqu'à la raideur, c'était bien le Firelight. Pourtant, son père avait l'air si gêné qu'elle lui pardonna de ne pas donner la priorité à sa famille. Elle aussi savait maintenant ce qu'on ressent quand votre vie échappe à tout contrôle ! Lui tapotant la main, elle assura :

— Demain soir, pas de problème, mais je ne sais pas si les filles auront l'état d'esprit qui convient au Firelight.

Il approuva de la tête.

— Personnellement, j'aimerais mieux le Breakfast Barn.

Par-dessus la tête de son père, elle vit Sabrina encaisser le coup, puis forcer un sourire, qui se fit plus convaincant quand Adam se tourna vers elle.

— Bien sûr ! s'écria-t-elle. Je m'en remets à vous !

— Bien, puisque je ne verrai pas mes petites-filles ce soir, si nous allions les prendre à la sortie de l'école, Sabri et moi ? Nous pourrions les emmener boire un chocolat chaud ?

— Si tu veux.

Jackie avait hâte de leur apprendre sa grande nouvelle, mais ce serait une fête pour elles de voir leur grand-père.

Elle le ferait à l'heure du dîner.

Harry revint de la cuisine avec un nouveau plateau, chargé d'une cafetière, de tasses, de la crème et de sucre. C'était un vieux service à café dont on se servait chaque jour, et Jackie vit l'expression dédaigneuse de Sabrina.

Les visiteurs restèrent une demi-heure, et la jeune décoratrice ne tarit pas d'éloges pour les Berkshires, énumérant les petits riens qui suffiraient à apporter les indispensables touches de style au charme rural de la région.

Croisant le regard de Harry, Jackie y vit un éclair amusé. Elle s'aperçut que Sabrina, elle aussi, cherchait fréquemment le regard du jeune homme ; elle ne parlait plus de la beauté de la nature mais du provincialisme de Maple Hill.

Quel soulagement, expliquait-elle, de trouver un peu de vie intellectuelle à Amherst ! Harry, qui arrivait de Floride, partagerait certainement son point de vue !

Harry fut poli, mais ne contribua pas beaucoup à la conversation.

Juste avant 15 heures, Jackie appela l'école pour prévenir que le grand-père des filles viendrait les prendre à sa place, puis Adam et Sabrina partirent.

— Elle est horrible ou c'est moi ? demanda Jackie en se laissant retomber dans son fauteuil.

— Elle est horrible, confirma Harry en rassemblant les tasses.

— Qu'est-ce que mon père lui trouve ?

— Ce qui manquait dans sa vie depuis la mort de ta mère, répondit-il sans hésitation.

— Mais ma mère n'était pas du tout comme ça !

Il emporta le plateau dans la cuisine et revint s'asseoir en face d'elle.

— Non, bien sûr... Je pense qu'elle est surtout une présence qui éveille des émotions nouvelles en lui. Il se sent séduisant, il la désire... on ne peut pas savoir au juste ce qu'il ressent, mais je parie que, avec elle, il se débarrasse d'une horrible impression d'être mort, lui aussi. Moi, en arrivant en Floride, je suis sorti avec une surfeuse bronzée qui avait dix ans de plus que moi. Nous n'aurions pas pu être plus différents mais elle était séduisante, je lui plaisais, et elle m'a sorti du trou où j'étais tombé en quittant Maple Hill. Cela a duré un mois ou deux, et puis nous nous sommes quittés sans regrets.

— Je ne te vois pas du tout sur une planche de surf, dit-elle en souriant.

— *Personne* ne m'a jamais vu sur une planche de surf !
plaisanta-t-il. J'ai passé tout mon temps à la poursuivre,
ou à tenter de lui échapper quand elle cherchait à me déca-
piter !

— Et toi ? demanda-t-il. Tu as passé deux ans à Boston à
la même époque. Tu as fait des études ou tu cherchais aussi
autre chose ?

Elle sentit le sourire qu'elle arborait jusqu'à maintenant
se figer sur son visage.

Cette expression à la fois coupable et horrifiée... il l'avait
déjà vue plusieurs fois, chaque fois qu'il parlait de passer au
stade suivant de leur relation.

— Tu as aimé quelqu'un là-bas ? demanda-t-il avec
gentillesse.

Il détestait l'idée qu'il y ait eu un autre homme dans sa
vie — un autre homme que son mari ! — mais il devait rester
réaliste : une femme aussi belle, aussi intelligente que Jackie,
avait dû passer sa vie à repousser les prétendants.

Il posa donc sa question, et fut abasourdi de voir ses yeux
se remplir de larmes. Désemparé, il se leva. Elle luttait déjà
pour se reprendre, fermant les yeux, respirant à fond. Il vint
se percher sur l'accoudoir de son fauteuil et passa le bras
autour de ses épaules.

— Tout va bien, murmura-t-il. Je n'aurais pas dû te demander
ça. C'est juste que je vois bien que tu portes un fardeau qui
date de cette époque...

Elle qui s'abandonnait si rarement, elle s'appuya contre
lui, en pressant sa joue contre son pull. Il la sentit frissonner
et demanda :

— Je peux faire quelque chose ?

— Non..., murmura-t-elle en se serrant étroitement contre
lui. C'est quelque chose... que je dois faire moi-même.

Il ne voyait plus son visage. De plus en plus inquiet, il prit sa tête entre ses paumes et plongea son regard dans le sien.

— Mais c'est en rapport avec moi, je le vois bien quand tu me regardes. Laisse-moi t'aider.

L'expression terrible reparut un bref instant, puis s'effaça quand elle baissa les cils. Quand elle leva de nouveau les yeux vers lui, il n'en restait aucune trace.

— Je t'expliquerai tout, promit-elle gravement. Dès que je me sentirai moins débordée par les événements. Dès que je serai capable de réfléchir clairement.

Très bien, pour cette fois, il voulait bien renoncer. S'il tenait à comprendre, il ne voulait néanmoins pas la torturer. Quel que soit le problème, ils le résoudraient. Et alors, rien ne viendrait plus les séparer.

— Si on emmenait les filles dîner quelque part, toi et moi ? proposa-t-il. Pour fêter la nouvelle des jumeaux, puisque ton père et son amie ont prévu autre chose.

Un peu tard, il pensa qu'elle préférait peut-être partager ce moment avec ses filles. Il se hâta d'ajouter :

— A moins que tu ne préfères rester en famille ?

Elle lui offrit un regard qui le frappa en plein cœur ; un regard débordant de chaleur et de tendresse... un regard d'amour. Cet amour qu'elle avouait sans sembler savoir ce qu'elle voulait en faire.

Sans un mot, elle venait de lui dire qu'il avait sa place dans sa famille.

— Si on allait au Breakfast Barn ? demanda-t-elle d'un ton léger. Les filles adorent, moi aussi, et je n'aurai pas à m'inquiéter de les faire se tenir correctement.

Puisqu'elle se cantonnait dans un registre désinvolte, il en ferait autant. Montrant le coffre à bûches presque vide, il lança :

— Ça me convient. Je vais rentrer du bois en les attendant.

Elle glissa vers l'avant de son siège, manœuvrant laborieusement pour se lever.

— En fait…, dit-elle, je voulais te demander un avis professionnel : crois-tu que ce serait possible d'ajouter des prises dans les chambres des filles ?

Souriant, il vint se planter devant elle et lui tendit les mains. Elle se laissa hisser sur ses pieds dans un gros soupir. Le moindre geste représentait un tel effort pour elle ! pensa-t-il avec compassion.

— Dans ces vieilles maisons, il n'y a qu'une prise par pièce, expliquait-elle. Nous avons refait beaucoup de choses, mais c'était surtout au niveau de la décoration. Leurs lampes et leurs réveils se partagent la prise, et je me disais que si on en installait une autre, je pourrais leur offrir leurs propres lecteur de CD — histoire de faire passer le fait que je serai moins disponible après la naissance des jumeaux. Tu veux bien jeter un coup d'œil pour voir si c'est possible ?

Elle le précéda à l'étage, lui expliqua ce qu'elle voulait, écouta les solutions qu'il lui proposait. La nuit tombait, ils discutaient encore des travaux à faire quand il y eut un grand remue-ménage au rez-de-chaussée.

— Voilà les filles, dit-elle.

Il éclata de rire.

— Tu es sûre ? On dirait un troupeau d'éléphants.

Elle se mit à rire, saisit sa main et l'entraîna dans le couloir. Les filles galopaient déjà dans l'escalier, les joues roses, les yeux étincelants.

— Des jumeaux ! piailla Erica. On va avoir des jumeaux !

Elle jeta les bras autour de sa mère, qui s'était arrêtée net.

Harry lut clairement la déception sur son visage. Elle tenait à leur annoncer elle-même la grande nouvelle.

— Sabrina dit qu'elle l'avait bien vu, avant que le docteur te le dise, rapporta Rachel en se tortillant pour se faire une place contre sa mère. Parce que, avec un seul bébé, on n'est pas si gros.

Jackie se raidit encore davantage. Ennuyé, il posa la main sur son épaule, frottant doucement pour tenter de dissiper sa tension. Adam les rejoignit à son tour, en soufflant un peu.

— Je suis désolé, Jackie, s'écria-t-il. Sabrina était emballée par la nouvelle, elle l'a laissée échapper sans réfléchir. Bonsoir, Harry.

Celui-ci répondit à son salut, et frotta un peu plus fort l'épaule de Jackie, conscient de l'effort qu'elle faisait pour ne pas répondre sèchement à son père.

— Je doute qu'elle fasse quoi que ce soit sans réfléchir, dit-elle enfin. Mais ce n'est pas grave. Passez une bonne soirée chez les McGovern.

Un peu interdit, Adam secoua la tête.

— Je suis sûr qu'elle ne voulait pas…

Elle l'interrompit en agitant la main comme pour chasser une mouche.

— Pas de problème, papa. A demain !

Il étudia son visage un instant, puis fit un signe résigné de la main, un sourire à la ronde, et redescendit.

Erica sembla saisir la cause de la tension ambiante.

— Pépé était en colère qu'elle nous l'ait dit, observa-t-elle.

Puis son sourire rayonnant reparut et elle s'écria :

— Mais je ne vois pas ce que ça change. On va avoir deux bébés ! Deux !

— Un pour Erica et un pour moi, clama Rachel.

— Et moi ? protesta Jackie en posant un baiser sur la tête brune, la tête blonde pressées contre elle.

— Tu les auras pour changer les couches, répliqua Erica. Nous, on n'aura qu'à jouer avec eux.

— Allez, je veux bien partager, les filles, et je vous laisserai vous lever pour le biberon de minuit !

— La mère de Casey Carlisle a une nounou pour la petite sœur. Une nounou qui habite chez eux.

— Les garçons peuvent être des nounous ? demanda Rachel. Parce que, nous, on pourrait avoir Harry pour les jumeaux et comme ça, il pourrait habiter chez nous. C'est trop long d'attendre qu'il soit ton petit ami !

— Il ne peut pas être nounou, fit remarquer Erica avec logique. Il a déjà un métier. S'il vient vivre chez nous, ce sera parce qu'il se sera marié avec maman.

— Ils vont se marier ? demanda Rachel, pleine d'espoir.

— Il faut d'abord qu'ils tombent amoureux.

— Et ça, ça prend longtemps ?

Jetant à Harry un regard d'excuse, Jackie lui demanda en aparté :

— Tu n'adores pas écouter disséquer ta vie sentimentale dans le couloir du premier ?

Puis elle se tourna vers ses filles.

— Rachel, ça prend un temps qu'on n'a pas pour l'instant. Harry nous emmène dîner au Breakfast Barn.

Les filles sautèrent sur place avec des cris de joie. Les poussant vers la salle de bains, leur mère ordonna :

— Lavez-vous les mains ! Rachel, change ton pull, mets-en un sans taches de chocolat.

Pouffant et se poussant du coude, les filles partirent faire ce qu'on leur demandait. Jackie redescendit, Harry sur ses talons. Maintenant que les filles ne pouvaient plus l'entendre, sa colère refit surface.

— Sabrina cherche à éloigner papa de nous, siffla-t-elle. Elle fait tout pour me contrarier et pour empêcher qu'on se retrouve pour une vraie soirée en famille. Elle le veut tout à elle.

La rattrapant en bas des marches, il la saisit aux épaules.

— Elle n'y parviendra pas et tu le sais très bien. Ton père vous adore, toi et les filles.

— C'est pour ça qu'il va chez les McGovern avec elle alors qu'il était invité à dîner ici ? Elle dit qu'elle avait accepté l'autre invitation en premier mais ce n'est sûrement pas vrai. A une époque, rien n'aurait pu l'empêcher de nous donner la priorité.

— Il finira par voir quelle est sa vraie personnalité, insista-t-il. Mais toi, tu ne peux rien lui dire, tu dois le laisser découvrir ça tout seul.

Un peu plus calme, elle croisa les bras sur sa poitrine.

— Il ferait bien de se dépêcher, grogna-t-elle. Le prochain coup sournois qu'elle nous fait, je l'étrangle.

Riant malgré lui, il la prit dans ses bras.

— Je n'aimerais pas que tu te retrouves en prison à vie, juste au moment où tu retombes amoureuse de moi.

Elle noua les bras autour de son cou, son gros ventre pressé contre lui.

— Je ne me souviens pas d'avoir dit précisément cela, dit-elle pour le taquiner.

Il posa sur ses lèvres un baiser rapide et léger.

— Moi non plus. Si tu le disais bien clairement, de façon à ce que nous nous en souvenions tous les deux ?

Elle le stupéfia en le regardant droit dans les yeux, et en articulant à haute et intelligible voix :

— Je t'aime.

— Moi aussi, je t'aime, souffla-t-il.

Vacillant sous le choc de l'aveu qu'il venait d'entendre, il l'embrassa de nouveau, très différemment de la première fois. De très loin, il entendit de petites voix pouffer dans l'escalier.

12.

— Alex et Austin ! proposa Erica.

Son dessert terminé, Erica dressait une liste de noms de jumeaux sur sa serviette en papier.

— Il faut des noms qui vont ensemble ? demanda Rachel.

— Ce n'est pas obligé, répondit Jackie, mais les jumeaux ont souvent des noms qui se ressemblent.

Rachel se redressa, les yeux brillants.

— Barney et Baby Bop ?

Erica lui lança son regard le plus méprisant.

— Baby Bop, c'est une fille ! déclara-t-elle, excédée. C'est une idée stupide, on ne va pas les appeler comme dans une *série*.

Jackie lui jeta un regard austère.

— Ce n'est pas stupide, dit-elle, ce sont juste des noms qui sont familiers à ta sœur.

Horrifiée par la tolérance de sa mère, Erica s'écria :

— Moi en tout cas, je n'irai pas à l'école avec un frère qui s'appelle Baby Bop !

— Tu n'auras pas à le faire, promit Jackie en éclatant de rire. Cherchez encore.

— Justin et Joey, proposa Erica. Ou Justin et J.C.

Comme Harry levait un sourcil interrogateur, Jackie expliqua :

— Ce sont les chanteurs du groupe N'Synch.

— Dans ce cas, pourquoi pas Scotti et Bonzi ? répartit-il.

Ce fut au tour d'Erica d'avoir l'air perplexe.

— C'est un autre groupe, les Portland Trailblazers. J'essaie de faire comme vous.

Un peu découragée, Erica fourra son menton dans ses mains.

— C'est dommage que ce ne soient pas des filles. Ce serait plus facile.

— Adam et Alex ? suggéra Harry.

— Adam comme pépé ! dit Erica en écrivant. C'est une bonne idée, maman. Et Alex, c'est bien !

— Et toi, ça te plaît ? demanda Jackie à Rachel.

— Oui. Mais je veux que le mien soit Adam.

Erica leva les yeux au ciel.

— Tu ne peux pas en choisir un comme ça !

— Je peux si je veux.

— C'est stupide !

— C'est toi qui es stupide !

Jackie offrit un petit sourire à Harry.

— Les hostilités reprennent. Il est l'heure de rentrer.

Harry passa à la caisse et ils sortirent, les adultes entre les filles pour les empêcher de se chamailler. Tout en marchant, Harry laissa retomber son bras sur les épaules de Jackie.

Ils n'avaient fait que quelques pas quand un éclair les aveugla… Surpris, ils se retrouvèrent nez à nez avec John Brockton et Russ Benedict. Brockton venait de les prendre en photo.

— Vous affirmez toujours qu'il ne se passe rien entre vous deux ? demanda-t-il avec un sourire supérieur.

D'un geste vif, Harry saisit l'appareil photo. L'autre s'accrocha à la courroie de l'air résolu d'un petit qui ne lâchera pas le jouet que lui dispute un grand. Sans se préoccuper de son adjoint, Jackie saisit le bras de Harry.

— Non ! s'exclama-t-elle.

Harry ne sembla pas l'entendre, son regard menaçant resta braqué sur Brockton qui pâlissait, mais qui ne semblait pas près de lâcher. Un groupe commençait à se rassembler autour d'eux. Tirant le bras de Harry, Jackie chuchota :

— Harry… les filles !

Il hésita un instant, puis rejeta l'appareil photo, et donc Brockton, d'un geste si brusque que l'homme tituba en arrière contre le capot d'un pick-up.

Résolument, Jackie tira Harry en arrière.

Quoi que cette photo puisse montrer, elle n'avait pas honte. Si sa carrière d'élue devait s'achever sur un scandale, ainsi soit-il !

Elle croyait l'épisode terminé, mais ses filles n'avaient pas encore renoncé au combat. Se plantant devant Brockton, Erica lui cria au visage :

— Harry va être notre papa ! Il peut être avec nous s'il veut !

Jackie fut si stupéfaite qu'elle ne réagit pas, et ce fut Harry qui dut s'interposer. Il voulut entraîner Erica qui lui résista et cria :

— Et vous n'avez qu'à laisser ma mère tranquille !

— Ouais ! renchérit Rachel, toujours prête à mettre son grain de sel. Ils vont se marier parce qu'ils s'embrassaient !

Jackie sentit la Terre s'arrêter un instant de tourner. Soulevant Rachel, Harry la cala sur sa hanche ; de sa main libre, il retenait toujours fermement Erica.

Jackie songea que Harry avait fait sa part pour les défendre et qu'elle ne devait pas s'en remettre aux filles pour la défendre…

A elle d'agir, maintenant. Mais comment ? Rachel avait si bien mis les pieds dans le plat que si elle la contredisait, cela suggérerait des manœuvres peu nettes. Elle ne voyait qu'une solution. C'était risqué, mais cela aurait l'avantage de clouer le bec de Brockton !

Se secouant pour chasser l'engourdissement qui s'était emparé d'elle, elle dit avec une politesse glaciale :

— Harry et moi, nous sommes fiancés, John.

Un silence subit accueillit ses paroles. Médusés, Erica et Harry se retournèrent vers elle. Elle entendit l'écho de ses propres paroles et sentit de nouveau le froid des grandes catastrophes l'envahir.

Elle venait d'annoncer publiquement qu'elle allait épouser Harry Whitcomb, et elle ne savait plus elle-même si elle était horrifiée ou folle de joie ! Quant à Brockton, il la regardait fixement et son expression était toujours aussi puérile : cette fois, il ressemblait au petit à qui on vient de piquer ses billes. Son expression donna à Jackie la force de continuer :

— Et si vous considérez toujours que le fait qu'il travaille pour la commune s'apparente à une forme de népotisme, enchaîna-t-elle, le menton levé, essayez de vous souvenir qu'il refait l'électricité de la mairie gratuitement. Je ne pense pas que vous puissiez nous attaquer pour cela.

— Effectivement, observa Haley qui venait de se matérialiser près d'eux, et qui prenait des notes.

Bart s'avança pour prendre Rachel des bras de Harry ; au passage, il jeta un regard hostile et méfiant à Brockton.

— Que se passe-t-il ici ? demanda-t-il à son beau-frère. Nous arrivons juste. Vous avez besoin d'un avocat ?

Sans se consulter, les deux adjoints tournèrent brusquement les talons et se dirigèrent vers l'entrée du restaurant.

— Vous avez fixé une date pour le mariage ? demanda

Haley d'un petit air détaché que démentait l'étincelle au fond de ses yeux.

Jackie la toisa froidement.

— Tu passes ta vie au restaurant, dis-moi ? riposta-t-elle.

— Maman a téléphoné, expliqua son amie en agitant son téléphone portable comme pour appuyer ses dires. Sa voiture était tombée en panne. Nous sommes allés la chercher, et nous avons décidé de nous offrir un café sur le chemin du retour. Alors, ce mariage ?

Jackie comprit que, même si Brockton n'était plus là, elle ne pouvait pas faire machine arrière pour autant. Le public qui s'était rassemblé ne faisait pas mine de se disperser. Une fois le soupçon jeté sur un personnage public, il met longtemps à se dissiper. La procédure de révocation restait suspendue au-dessus de sa tête.

Comme elle hésitait un peu trop longtemps, Harry répondit à sa place :

— Après la naissance des bébés, dit-il fermement. Il y a beaucoup trop à faire avant qu'ils n'arrivent.

Haley en resta bouche bée.

— Tu as bien dit *des* bébés ? Au pluriel ?

— Oui ! cria Erica en nouant avec emportement les bras autour de sa mère.

Battant des mains, Rachel piailla :

— On va porter les fleurs au mariage ! Et maman va avoir des jumeaux !

Avec un cri aigu de gamine, Haley se jeta dans les bras de Jackie, puis se dégagea pour embrasser les filles. En dernier, elle se tourna vers son frère et l'étreignit à bras-le-corps en éclatant de rire.

— Tu vas en baver, Harry !

— Grâce à toi, repartit-il, j'ai l'habitude des gosses impossibles.

— Je peux poser ma candidature en tant que témoin du marié ? s'enquit Bart avec un large sourire. Je suppose que tu auras aussi besoin d'un baby-sitter ?

— Oui, et oui ! répondit Harry.

Il semblait si heureux...

Jackie sentit les premiers symptômes d'une nouvelle crise d'angoisse. Voyant son visage, Harry reprit Rachel et poussa la petite famille vers sa camionnette.

— Vous vous doutez bien que vous allez vous retrouver en première page ? les prévint Haley.

Jackie approuva de la tête, fataliste.

— Bien ! Alors à dimanche, 14 heures, pour l'anniversaire de maman. Tu peux apporter une salade de fruits ?

Une seconde fois, elle hocha la tête sans répondre.

Elle ne dit pas un mot pendant le trajet du retour, mais son silence passa inaperçu grâce au bavardage surexcité des filles. Elles posaient une foule de questions, auxquelles Harry répondait de son mieux. Non, John Brockton ne pouvait rien faire pour les ennuyer, affirmait-il.

Pourvu qu'il dise vrai ! Les petites avaient beaucoup enduré avec la mort de leur père, et Erica surtout souffrait des rumeurs qui planaient sur sa mémoire. Qu'on n'aille pas maintenant lui salir l'image de sa mère !

Une fois à la maison, elle alla mettre la bouilloire sur le feu. Les filles ne lâchaient pas Harry d'une semelle, absolument enchantées à la perspective de l'avoir tout à elles.

— Je peux avoir une robe neuve pour le mariage ? demanda Rachel en grimpant sur ses genoux.

— On aura toutes des robes neuves, expliqua Erica qui s'appuyait contre lui, un bras sur ses épaules. De quelle couleur, maman ?

Jackie ne respirait plus très bien. Sur le moment, cela semblait le moyen idéal de faire taire Brockton... et plus elle regardait ses filles avec Harry, plus l'idée lui semblait séduisante. C'était comme un train emballé que plus rien n'arrête — et comme un train emballé, il n'était pas exclu qu'il déraille... Mais voilà, c'était fait, elle ne pouvait plus revenir en arrière. Et au fond de son cœur, elle était bien obligée de s'avouer qu'elle ne le souhaitait pas.

— Quelle couleur aimerais-tu ? demanda Harry à Erica.

— Moi, j'aime le jaune. Comme les pâquerettes.

— Moi, je veux une robe violette ! cria Rachel. Comme Barney !

— Tu vois ? se lamenta sa grande sœur. On ne pourra jamais se mettre d'accord.

— Oui, mais est-ce que vous êtes obligées de porter la même couleur ? demanda Harry en repoussant d'un geste tout naturel ses longs cheveux bruns derrière son oreille. Tu ne pourrais pas porter du jaune et Rachel du violet ?

Même Rachel fit la grimace.

— Ce serait moche.

Harry se tourna vers Jackie en riant.

— Viens à mon secours, tu veux ? Notre mariage va tomber à l'eau pour une question d'esthétique.

— Et toi, quelle couleur est-ce que tu vas porter ? lui demanda sévèrement Rachel.

— Moi, je dois mettre un complet, répondit-il gravement, et je n'en ai qu'un. Il est gris.

Erica alla chercher un plat de cookies tandis que Jackie déposait le plateau de tasses sur la table.

— Et toi, maman ? Tes affaires d'avant t'iront encore quand les jumeaux seront nés ?

Jackie soupira. Les vêtements qu'elle pourrait porter quand elle ne traînerait plus ce poids ! Elle retrouverait une apparence humaine. Elle pourrait remettre ses robes ! pensa-t-elle avec un frisson de joie.

Le regard de Harry s'était posé sur elle, attentif ; l'expression qu'elle y surprit la ramena bien vite à la réalité, et à ses inquiétudes.

— On peut décider d'une couleur demain ? demanda-t-elle en distribuant les tasses. Je suis morte de fatigue, et c'est l'heure des *Jeunes Robinson*.

Les filles filèrent dans le salon, portant leurs tasses avec précaution. Jackie alla s'asseoir près de Harry, assez penaude. Comment expliquer ce qu'elle venait de faire ?

Elle se posait encore la question quand il prouva qu'il lisait dans ses pensées avec une précision alarmante :

— Tu as annoncé nos fiançailles pour nous éviter d'être accusés d'autre chose, dit-il. Et voilà que le projet prend forme, et que tu commences à en avoir envie. Je me trompe ?

Cela n'aurait servi à rien de le nier.

— Non, tu ne te trompes pas, dit-elle, mais nous avons un million de détails... de difficultés... à régler.

Une seule était vraiment conséquente, pensa-t-elle tandis qu'un goût de panique envahissait sa bouche.

Nous y revoilà, pensa Harry. Elle avait de nouveau ce regard suppliant qui implorait sa compréhension sans lui dire ce qui la troublait.

— Bon, dit-il un peu lourdement. Nous en parlerons quand tu seras prête à le faire. De toute façon, je m'installe ici demain. Tu commences à être encore plus pâle et stressée que d'habitude.

— Harry ! protesta-t-elle. Brockton cherche à nous piéger. Si tu t'installes ici...

— Au vu et au su de tout le monde ? Au contraire, cela

prouvera que nos projets sont sérieux, interrompit-il. De toute façon, il n'est pas question de te laisser seule en ce moment. Je m'occuperai de l'intendance et toi, tu pourras te concentrer sur les moyens de rester madame le maire, et tout organiser pour que la commune ne parte pas à vau-l'eau quand tu seras en congé maternité. Nous savons que tu accoucheras plus tôt que prévu, essayons de faire en sorte que rien ne vienne troubler la fin de ta grossesse. Si cet imbécile de Brockton nous voit nous comporter comme une vraie famille, faire des projets pour le mariage, il n'aura plus la moindre chance de te faire passer pour une élue dépravée qui profite de sa position.

— Mais cela veut dire que nous allons vivre ensemble !

— Oui… mais pas de sexe, pas de scandale. Et franchement, ce ne serait pas une bonne idée dans ta condition.

Il baissa légèrement la voix : il savait déjà que du moment qu'il y a des enfants dans une maison, ils entendent tout ce qu'on aurait préféré leur cacher ! La première réaction de Jackie fut un sourire, comme si l'idée du sexe lui plaisait. Puis elle se mordit la lèvre, comme si la solution qu'il lui proposait créait une foule de nouveaux problèmes.

— Et ton entreprise ? demanda-t-elle.

— Tu réussis bien à tout mener de front, toi ! Je me débrouillerai moi aussi sans problème.

— Il y aura deux filles assez remuantes, rappela-t-elle, et deux nouveau-nés.

— Je sais compter. Ecoute, Jackie, les filles et moi, nous nous entendons bien. Je n'ai guère d'expérience avec les bébés, mais tout le monde doit apprendre un jour ou l'autre.

Elle lui offrit un sourire très doux et posa sa main sur la sienne.

— Toi, quand tu décides de te préoccuper de ta vie sentimentale, tu mets les bouchées doubles ! Une femme et quatre enfants d'un coup !

— Je n'ai jamais aimé faire les choses à moitié, répliqua-t-il taquin d'un petit air désinvolte.

Puis il se rembrunit. Toutes ces tensions, tous ces problèmes… Ce n'est pas dans cette ambiance qu'il aurait aimé faire sa demande en mariage !

— Je suis désolé que tout soit si peu romantique…

Elle s'accrocha à sa main avec un petit rire qui ressemblait presque à un sanglot.

— Quand on est aussi énorme et aussi fatiguée, dit-elle, aussi *assiégée*, c'est terriblement romantique d'avoir quelqu'un qui tient absolument à prendre soin de vous.

Il leva sa main à ses lèvres et y déposa un baiser.

— Quand tout se sera un peu calmé, murmura-t-il en agitant les sourcils d'un air équivoque, je demanderai quelques faveurs en échange.

— J'espère bien ! s'écria-t-elle en venant nouer les bras autour de son cou.

Il trouva sa réponse un peu insolite. Non pas les paroles, mais le ton… Il l'aurait sans doute interrogée, mais les jumeaux choisirent cet instant pour faire une cabriole assez acrobatique. Poussant une petite exclamation, elle plaqua les deux mains sur son ventre. Assez effrayé, il sauta sur ses pieds et la fit asseoir à sa place.

— Ça va ? C'était autre chose qu'un simple coup de pied !

Avec un gros soupir et un sourire fatigué, elle frotta son ventre d'un mouvement apaisant.

— Ils sont très remuants ces derniers temps. Je suppose qu'ils préparent leur déménagement.

Allongeant le bras, il attira vers elle sa tasse de tisane.

— Je devrais peut-être m'installer ici dès ce soir…

— Ça ira, murmura-t-elle en secouant la tête. Les mouvements me font sûrement davantage d'effet depuis que je sais qu'ils sont deux. Ils se sont calmés, maintenant.

Il n'aimait pas l'idée de la laisser, mais lui aussi devait mettre de l'ordre chez lui s'il allait passer les mois à venir sous ce toit. Si en plus sa mère avait des problèmes de voiture, il serait obligé d'aller la chercher demain matin pour la conduire au bureau, et il ne pourrait pas déménager ses affaires.

— Je viendrai emmener les filles à l'école demain matin. Tu pourras dormir un peu plus longtemps.

Elle lui fit une petite grimace.

— Tu es gentil, mais ce n'est pas nécessaire. Je vais bien, et j'irai encore mieux dès que je pourrai oublier Brockton et me concentrer sur mes filles et mon travail. Rentre chez toi, Harry.

Comme il hésitait encore, elle ajouta :

— Il y a une clé sous le géranium de la véranda. Erica ne cesse de perdre les siennes, alors j'en ai toujours une de secours. Tu peux apporter tes affaires quand ça t'arrangera.

Il se pencha vers elle, plongea son regard dans le sien. Prenant son visage entre ses paumes, elle posa un baiser chaste sur ses lèvres.

— Je ne sais pas comment j'ai pu te laisser partir, murmura-t-elle d'une voix qui se fêlait.

— Je ne sais pas comment j'ai pu partir, murmura-t-il.

Il l'embrassa à son tour, plus longuement et avec infiniment de tendresse. Puis il murmura :

— A demain.

Passant à côté, il alla dire au revoir aux filles, qui lui tendirent la joue sans quitter l'écran des yeux.

Il fut ému de voir comme ce geste leur était devenu naturel, comme elles l'avaient accepté. Il n'aurait jamais pensé que la paternité pouvait être aussi… accessible.

Quelle révélation ! pensa-t-il en refermant la porte d'entrée derrière lui.

C'était étrange de voir la mairie continuer son train-train habituel, pensa Jackie en arrivant le lendemain matin. Tous les bouleversements dans sa propre vie et ici, les bureaux ronronnaient comme à l'accoutumée.

Haley passa la voir et l'emmena boire un café au Perk Avenue.

— Tu sais combien il y a de calories dans un moka ? demanda Jackie en se laissant tomber sur une petite chaise de fer forgé. Les jumeaux pèsent déjà assez lourd !

Haley s'assit en face d'elle avec un sourire assez hésitant.

— J'ai pensé que le chocolat te calmerait les nerfs quand je te décrirai la première page du *Mirror*.

— La révocation ? interrogea Jackie dans un soupir.

— Et aussi ta confrontation avec Brockton sur le parking du Breakfast Barn. Je suis désolée. C'est gênant pour toi, mais ça montre Brockton tel qu'il est vraiment, ce qui est aussi important pour toi que l'audience. J'ai parlé à Rosie Benedict, et elle m'a dit que Brockton te suivait partout en espérant surprendre des moments intimes entre toi et Harry.

Jackie ne parvenait pas à décider si c'était une bonne ou une mauvaise nouvelle.

— Brockton m'a mise au défi de me servir de sa photo, enchaîna Haley. Alors, je vais le faire.

— Haley…

Levant la main pour l'interrompre, son amie expliqua :

— Mais je la publie au-dessus d'un entrefilet annonçant vos fiançailles. Quelques lignes sur votre amour de jeunesse et la vieille amitié entre nos deux familles. Tout le monde comprendra que ce n'est pas une passion passagère.

Jackie pressa la main sur son front. Le stress semblait verrouiller chacun de ses muscles, de ses cheveux à ses orteils.

— C'était ça, ta mauvaise nouvelle ?

Haley se pencha vers elle, le regard grave.

— Le seul terrain sur lequel Brockton puisse t'attaquer, c'est tes rapports avec mon frère. Il faut donc montrer qu'il n'y a rien de furtif ou de sordide entre vous. Le fait que Harry fasse votre chantier gratuitement écarte toute suggestion de népotisme. Cela, il faut le souligner bien clairement.

Elle se redressa en soupirant, cassa un cookie en deux et en offrit la moitié à Jackie.

— Je suis désolée de te pousser sous les projecteurs, mais à terme, c'est encore ce qui protégera le mieux ton image.

— Tu peux me dire comment je suis passée de la femme que personne ne remarquait, à commencer par mon mari, à la créature par qui le scandale arrive ? marmonna Jackie en mordant dans la friandise.

— Brockton essaie d'en tirer un scandale, mais il n'y parviendra pas. C'est pour cela que vous devez vous montrer très francs sur votre histoire.

— Dans ce cas, tu voudras peut-être mentionner que Harry s'installe chez moi aujourd'hui.

De toute façon, la situation lui échappait. Puisqu'elle ne pouvait plus influencer les événements, autant tout lâcher !

— Sans blague ! s'écria Haley avec un large sourire. Alors vous êtes vraiment fiancés ?

— Vraiment, oui. Les filles sont folles de joie.

— Et toi ?

— Je l'ai aimé presque toute ma vie, murmura-t-elle en baissant les yeux.

— Alors, tu n'as plus aucun souci à te faire. Souris ! Aucune des accusations de Brockton ne tiendra la route.

Se penchant en travers de la table, elle lui tapota la main avec entrain et ajouta :

— Cette fois, les choses prennent tournure. Enfin, Jackie Fortin va gagner une manche !

Jackie consentit enfin à sourire. Pour une fois, elle osait presque croire à sa bonne étoile ! D'ailleurs, si elle devait mettre dans la balance tous les aspects de sa vie, les joies d'un côté et les coups durs de l'autre, les cadeaux pèseraient beaucoup plus lourds que les problèmes. Elle avait ses filles, sa maison, son travail, de bons amis… Et maintenant, elle avait aussi Harry. Bien sûr, il restait un obstacle de taille, car elle devrait tout lui dire avant le mariage… mais elle n'était pas obligée de le faire tout de suite. Elle pouvait encore savourer sa compagnie, faire comme si rien ne les séparait. Jusqu'à la naissance des jumeaux. Le mieux serait de préparer le terrain peu à peu. Le moment venu, il serait si bien intégré à leur petite famille qu'il déciderait qu'elle comptait davantage que tout le reste.

Du moins pouvait-elle l'espérer.

Quand elle rentra ce soir-là, Harry préparait le dîner. Souriant, il la salua d'un geste, de la main qui tenait une spatule de bois.

— Bonsoir ! Ce soir, lasagnes et haricots verts. J'espère que tu as de l'appétit.

Les filles, qui mettaient le couvert, interrompirent leur tâche pour venir l'embrasser et la traînèrent vers le plan de travail pour admirer le succulent plat de lasagnes crémeux qui sortait du four.

— Ta sœur m'a offert un moka cet après-midi, et tu nous

fais un dîner pour douze. Avouez : c'est un complot pour que j'aie l'air de porter des triplés.

Il se pencha pour poser un baiser rapide sur sa joue.

— Pas du tout ! Je veux juste que ces garçons naissent grands et solides, histoire de faire leur part du boulot dans cette maison.

Elle se perdit dans son sourire. Que c'était bon de le trouver ici quand elle rentrait après une journée éprouvante. Les filles étaient de si bonne humeur ! Ce n'était jamais comme cela, avec Ricky : il les rejoignait rarement pour le dîner. S'il rentrait, elle était dans la cuisine, lui devant la télévision, et les filles dans leurs chambres ou au jardin. Le repas n'avait jamais été un moment privilégié rassemblant toute la famille.

Sans lâcher les filles, elle s'appuya contre lui avec un soupir de reconnaissance… et il fit exactement ce qu'elle espérait : laissant tomber sa spatule, il les enveloppa toutes trois dans une étreinte d'ours.

— Merci, chuchota-t-elle à son oreille.

— Tout le plaisir est pour moi, articula-t-il tout bas en pressant sa joue contre la sienne.

— On se fait des chatouilles ? proposa Rachel en agitant les doigts d'un air gourmand. Glory dit que sa famille se faisait des bagarres de chatouilles quand elle était petite. C'est drôle, tout le monde se retrouve sur le tapis.

Jackie s'écarta de Harry.

— Ma puce, si je finissais sur le tapis, il faudrait un treuil pour me relever.

— C'est quoi, un treuil ? s'inquiéta la petite.

— Oh, une grosse machine. Comme les camions jaunes qui font les travaux de la commune. Les tracteurs, les grues.

— On va devoir attendre que les bébés soient nés ? demanda-t-elle, déçue.

— Je le crains.

Harry s'était remis à sa cuisine. Se tournant vers lui, la petite lança :

— C'est toi le papa, maintenant. C'est toi qui peux dire si on se fait des bagarres de chatouilles.

— Je ne suis pas chatouilleux, dit-il avec une désinvolture peu convaincante.

Rachel ne s'en laissa pas conter.

— Mais si ! cria-t-elle, triomphante, en se jetant sur lui. Tu es chatouilleux !

Il lâcha sa spatule et recula dans un coin en se défendant de son mieux. Il riait déjà quand Erica se joignit à l'attaque.

Jackie les laissa alors que les appels au secours pour rire de Harry se mêlaient aux piaillements aigus des filles. Montant dans sa chambre, elle retira sa robe trop serrée et enfila son peignoir avec soulagement. Les chemises et les jeans de Harry étaient dans le placard, sa trousse de toilette reposait sur une étagère de la salle de bains. Elle eut un frémissement de bonheur. Il ne s'était pas installé dans la chambre d'amis. Ce soir, il dormirait avec elle !

Le dîner fut un régal. Les filles bavardèrent à cent à l'heure, et Harry ne sembla absolument pas ennuyé par leurs anecdotes et leurs observations. Il posa une foule de questions, s'intéressa à leurs maîtresses et leurs amis. Bientôt, on parlait de nouveau du mariage.

Repoussant résolument toute angoisse, elle convint que le rose serait ravissant, pour les filles comme pour elle. La décision s'imposa quand Harry dit qu'il aimait voir les femmes en rose.

— Ce n'est pas une opinion machiste, précisa-t-il quand Jackie haussa un sourcil soupçonneux. Juste une question d'esthétique. Il me semble que quel que soit le teint d'une femme, quand on l'habille en rose, son teint prend de l'éclat et ses yeux s'éclairent.

— Et combien de femmes as-tu habillé en rose ? lui lança-t-elle pour le taquiner.

— Tu es la seule que je compte encore. Comment te sens-tu ?

Elle prit le temps d'analyser ses sensations. Ce repas délicieux, cette sensation de chaleur et de bien-être, l'indescriptible satisfaction d'une mère qui sait que ses enfants sont heureux…

— En rose, répondit-elle.

Elle l'aida à ranger et nettoyer la cuisine pendant que les filles faisaient leurs devoirs, puis se blottit contre lui sur le canapé pour regarder les informations. L'heure venue, ils couchèrent les filles ensemble.

— Où est-ce que vous irez pour votre lune de miel ? demanda Erica, redressée sur un coude.

La repoussant doucement sur son oreiller, Jackie répondit :

— Avec les jumeaux, je doute que nous ayons le temps de partir en voyage. Nous allons tous être très occupés jusqu'à ce qu'ils aient au moins trois ans.

— Mais vous devez partir en voyage, protesta la grande, les sourcils froncés. C'est le moment où vous apprenez à vous connaître quand vous n'êtes que tous les deux.

— Harry et moi, nous nous connaissons depuis très longtemps.

— Oui, contesta sa fille en se redressant de nouveau comme un diable de sa boîte, mais c'était en amis. Ce sera différent d'être mariés, non ? Je veux dire, il faut bien apprendre à vous connaître en tant que mari et femme ?

Un instant, Jackie se demanda si elle parlait de l'aspect physique de leur relation, mais Erica clarifia sa question :

— Il faut faire les comptes, partager la voiture. Papa n'aimait pas ça, tu te souviens ?

Se tournant vers Harry, elle lui confia :

— Maman oublie quelquefois de noter les sommes sur ses chèques, ou de mettre de l'essence dans la voiture. Papa s'énervait pour ça.

Harry noua les bras autour de Jackie.

— J'aime tout chez ta maman. Il y aura sûrement des jours où on s'énervera, on pourra même se disputer, mais ce ne sera pas grave. Tout le monde a le droit de ne pas être d'accord, et on ne restera pas fâchés. De toute façon, c'est la seule femme que je voudrai jamais. Pour la lune de miel, on verra. Peut-être quand les jumeaux auront quelques mois.

Lâchant Jackie, il recoucha doucement Erica et lui remonta la couette jusqu'au menton.

— Je ne veux plus que tu te fasses du souci pour quoi que ce soit, dit-il en se penchant pour embrasser sa joue. Je suis là pour m'occuper de toi. Tout va bien se passer, maintenant. Nous allons être une famille formidable.

Passant les bras autour de son cou, Erica le serra bien fort.

— Je sais bien. Bonne nuit.

— Bonne nuit.

— Je suis encore réveillée ! cria Rachel de sa chambre.

— Une famille formidable à part ma sœur, grogna Erica tandis qu'ils quittaient sa chambre.

Jackie s'arrêta sur le seuil de la chambre de la petite.

— Tu as déjà été bordée, dit-elle fermement. Tu as eu ton verre d'eau, et tu as ton ours.

Rachel se redressa comme un ressort.

— Oui, mais ça faisait longtemps que je n'avais pas été bordée par un papa. On peut le refaire ?

Avant que Jackie ne puisse répondre, Harry passa devant

elle et s'accroupit. Rachel se blottit dans son oreiller avec son ours tandis que Harry remontait sa couette et la bordait bien serré autour d'elle. Puis il se pencha pour embrasser ses cheveux.

— Bonne nuit, Rachel, dit-il.

— Quand est-ce que je peux t'appeler papa ? demanda-t-elle.

Jackie sentit son cœur se gonfler.

— Je ne serai pas officiellement ton papa tant qu'on ne sera pas mariés, murmura Harry.

Rachel eut un petit soupir.

— Oui, mais je peux même si ce n'est pas officiel ?

Il y eut un bref silence, puis Harry s'éclaircit la gorge.

— C'est OK pour moi. Et toi, ça te va ?

— Oui. Bonne nuit, papa.

Un nouveau silence. Un nouveau raclement de gorge.

— Bonne nuit, bébé.

Il l'embrassa de nouveau, se redressa et sortit en tirant la porte derrière lui. Jackie lui ouvrit les bras et il la serra contre lui, la tournant un peu de côté pour ne pas avoir à se pencher par-dessus les jumeaux.

— Bon, d'accord, chuchota-t-il. Déjà que j'étais en adoration devant elles, je viens de perdre mes derniers lambeaux de sévérité. J'espère que tu ne compteras pas sur moi pour leur tenir la bride.

Dans quelques instants, elle pourrait sans doute en rire, elle aussi. Pour l'instant, elle aussi était en adoration — devant lui. Son cœur se serrait en pensant à Ricky, qui traitait les filles avec tant de désinvolture tandis qu'elles guettaient le moindre signe d'affection de sa part. Cette fois, ce ne serait plus pareil.

— En général, elles marchent plutôt droit, du moment qu'on leur donne la direction à suivre, dit-elle à voix basse en l'entraînant vers l'escalier. Tu vas tout de même devoir t'endurcir un peu, ou elles te feront payer ton côté cool.

— Je ne me suis jamais vu comme un type trop cool !

— Leur père était souvent tendu et préoccupé. Avec toi, tout est léger. Tu veux boire encore un déca devant la télé ?

— Je veux bien. Assieds-toi, je vais le faire.

La maison était très silencieuse quand ils montèrent se coucher, un peu après 22 heures. Voulant laisser à Jackie quelques instants pour s'adapter au fait que sa chambre n'était plus seulement la sienne, il alla jeter un coup d'œil aux filles, tira la couette sur les pieds de Rachel qui s'étiraient hors du lit. En poussant la porte de Jackie, il la trouva en train de contempler un long morceau de dentelle noire étendu sur la courtepointe.

Elle leva les yeux avec un sursaut un peu coupable.

— Je pourrais porter ça, dit-elle en rougissant un peu, mais franchement, ça me gratte un peu. Ma peau est si sèche.

Elle frottait machinalement son ventre en parlant.

— Ou tu pourrais ne rien porter du tout, suggéra-t-il en lançant la chemise de nuit sur une chaise. Moi et ta peau sèche, nous serions contents tous les deux.

Elle lui fit une grimace.

— Mon corps n'est pas montrable, marmonna-t-elle en croisant les bras sur son gros peignoir. Même quand je suis seule, j'éteins les lumières pour ne pas me voir.

Lui jetant un regard tendre, il disparut dans la salle de bains et revint avec un grand flacon de crème hydratante.

— Ça ne t'aiderait pas, ça ?

— Sûrement, lâcha-t-elle en haussant les épaules. La moitié du temps, j'oublie d'en mettre. Je n'ai pas le temps, ou je suis trop fatiguée.

Il lui prit la main et l'attira doucement vers le lit en murmurant :

— Laisse-moi faire.

Elle ne voulait pas qu'il voie son ventre énorme ou ses seins barrés de veines bleues, mais il avait déjà rejeté la grosse couette, il gonflait les oreillers contre la tête du lit, dénouait la ceinture de son peignoir, les gestes empreints d'un détachement presque clinique ; il lui laissa ses socquettes, remonta la couette jusque sur ses hanches, et s'assit au bord du lit.

Versant de la crème dans ses paumes, il prit son bras et se mit à le masser, imprégnant sa peau de l'épaule au coude, du coude au poignet. C'était si relaxant qu'elle eut l'impression que tout ce côté de son corps s'engourdissait.

Il s'attaqua à l'autre bras. Elle eut beau s'efforcer de ne penser à rien, elle se noyait dans les sensations délicieuses que soulevaient ses mains sur sa peau. Déjà, quand ils n'étaient encore que des adolescents, il avait des mains à la fois délicates et puissantes…

Ses bras terminés, il la redressa sans effort apparent, l'appuya contre son épaule, et déposa une dose généreuse de crème entre ses omoplates. Longuement, il l'étala à grands mouvements apaisants, décrivit des ronds sur ses épaules, sur ses reins. Sans hésiter, ses mains passaient et repassaient sur le haut de ses fesses et une sensation qu'elle reconnut s'installa dans son bas-ventre, allant en s'élargissant…

La recouchant doucement sur son peignoir, il s'attaqua à son torse. D'abord les épaules puis, sans le moindre érotisme, la peau sèche de ses seins, ses côtes et l'énorme monticule de son ventre.

Un instant, il abandonna sa concentration pour lui sourire.

— Ça va ? Je ne t'entends plus respirer.

Elle hocha brièvement la tête. Respirer, elle ? Comment aurait-elle pu ? Plus rien ne fonctionnait à part ses terminaisons nerveuses. La tension qui montait en elle n'était pas du tout

221

appropriée à un massage. Puis les doigts de Harry suivirent la courbe de son ventre, et un nœud d'émotion en elle se dénoua dans une explosion totalement inattendue.

— Oh… ohhh…, gémit-elle.

Harry mit quelques instants à comprendre ce qui se passait. Feignant un détachement qu'il était loin de ressentir, il perçut le frémissement de la peau, le hoquet dans sa respiration quand, du bout des doigts, il lissa de la crème sur la peau si sèche entre son ventre et sa cuisse.

Elle eut un mouvement subit ; croyant lui avoir fait mal, il leva les yeux, vit le feu rose de ses joues, ses yeux brumeux, le geste brusque de sa main qui se tendait vers lui. Il la saisit de ses doigts enduits de crème, à l'instant où elle laissait échapper le petit cri si doux dont il se souvenait.

Rassuré, ému et assez fier de lui, il comprit qu'elle venait d'avoir un orgasme.

Jackie avait senti la vague se lever du plus profond de son corps, la langueur chaude, les friselis de sensation. Elle qui avait cru ne plus jamais ressentir cela ! Quelle joie, quel soulagement indicibles.

Sa première réaction en émergeant de ce plaisir si inattendu fut la stupéfaction. Elle n'avait plus connu d'orgasme pendant les trois ou quatre dernières années de son mariage. Même au moment de la conception des jumeaux. Et voilà que Harry, sans même la toucher de façon intime, l'avait amenée au plaisir ultime…

Elle se sentait à la fois heureuse et gênée. Sous le choc.

— Comment… est-ce que c'est arrivé ?

Sans lâcher sa main, il se pencha pour poser un baiser léger sur ses lèvres.

— C'est une loi de la nature. Ça a toujours été comme ça entre toi et moi.

Plus elle reprit ses esprits, plus le bonheur l'emporta sur la

222

confusion. Harry et elle, c'était trop beau pour tourner mal. Elle s'accorderait encore un jour ou deux, elle le laisserait s'installer, s'habituerait un peu à la joie de l'avoir toujours à portée de main, puis elle lui dirait tout.

Il comprendrait. Elle pouvait lui faire confiance, plus rien ne viendrait barrer la route au bonheur — pour elle, pour ses filles ou pour lui !

Elle l'aimerait comme jamais une femme n'avait aimé un homme.

Jackie vécut quatre journées délicieuses avant l'anniversaire d'Adeline. La routine s'installa, tranquille et très douce, et les filles semblaient s'épanouir de jour en jour. Harry levait les petites, préparait leur petit déjeuner, se débrouillait pour retrouver tous les objets indispensables égarés dans le marathon du matin : chaussures, devoirs, autorisation parentale pour une sortie de classe. Il les emmenait à l'école pendant que Jackie se levait, se douchait et s'habillait en humant l'arôme du café qui l'attendait dans la cuisine.

A son tour, elle préparait quelque chose pour lui, et ils déjeunaient ensemble lorsqu'il rentrait. Puis il reprenait la camionnette pour l'emmener à la mairie, l'accompagnait jusque dans son bureau, l'embrassait en lui faisant bien sentir quels délices l'attendaient quand ils ne seraient plus séparés par quinze kilos de bébés, et descendait au sous-sol commencer sa propre journée de travail.

Glory allait chercher les filles l'après-midi et restait avec elles jusqu'au retour de Harry et Jackie. Plusieurs fois, elle commença les préparatifs du dîner.

— Il faut bien que j'apprenne à faire la cuisine, expliqua-t-elle avec un sourire gêné. Jimmy me plaît vraiment et il sait à peine faire du café !

Sa sauce pour les spaghettis fut extraordinaire mais, le

lendemain, sa tourte à la viande eut la consistance d'une brique. Par chance, Adeline vint à la rescousse avec un rôti de porc.

— Il ne faut rien m'offrir pour mon anniversaire, ordonna-t-elle très fermement en posant son plat au centre de la table. Tout ce que je veux, c'est passer une journée entourée de toute ma famille.

Offrant un sourire angélique à son fils, elle conclut :

— Maintenant que ma famille a enfin repris ses esprits.

— Mais on a déjà ton cadeau ! s'écria Rachel. C'est...

— Il ne faut pas le dire, siffla Erica en lui couvrant la bouche de sa main.

Devant l'expression atterrée d'Adeline, Harry éclata de rire.

— Maman ! Tu dis toujours ça la veille de ton anniversaire, quand tu sais très bien qu'on a déjà acheté ton cadeau. Tu ne trouves pas ça un peu gros, comme stratagème ?

— Tu peux penser ce que tu veux, répliqua-t-elle, vexée, mais il serait plus délicat de ne rien dire. Surtout le soir où je t'apporte ton plat préféré, juste à temps pour vous éviter de manger de l'argile recuite.

Glory, qui enfilait son blouson, jeta un regard triste au gros bloc noirci, seul résultat de tant d'efforts.

— Je ne sais pas où je me suis trompée...

Glissant son bras sous le sien, Adeline l'entraîna vers la porte.

— A mon avis, le four était trop chaud. Il paraît que vous sortez avec Jimmy Elliott ?

— Oui.

— Un garçon charmant. Il aime mes brownies.

— C'est vrai ?

— Des brownies sans noix. J'ai une recette...

— A dimanche, Adeline, intervint Jackie. Glory, passe un bon week-end.

Entièrement concentrées sur leur échange de recettes, les deux femmes partirent sans répondre. La famille se rassembla autour de la table. Flairant le fumet du rôti, Erica demanda à Harry :

— Si Adeline est ta mère, alors on peut l'appeler mamie ?

— Mais oui ! Elle sera contente, même si ce n'est pas encore officiel.

Ce soir-là, sous la couette et le drap de flanelle, Harry prit Jackie contre lui et plaqua son grand corps contre son dos. Elle eut le sentiment de se fondre en lui, physiquement, émotionnellement, spirituellement même. Désormais, il y avait un havre dans sa vie si turbulente, un abri sûr. Chaque fois qu'elle se tournait vers lui, elle rencontrait une générosité sans faille. La seule chose qui lui faisait encore mal était l'idée qu'elle aurait pu avoir tout cela depuis dix-sept ans… Tout était différent, à l'époque.

Aujourd'hui, ils étaient ensemble, et rien d'autre ne comptait.

Elle leva la main, chercha son visage à tâtons et souffla :

— Je t'aime, Harry Jedediah Whitcomb.

— Je t'aime, Jacqueline Denise Fortin Boullois Whitcomb, murmura-t-il en lui embrassant le cou.

— Pas officiellement Whitcomb, rappela-t-elle.

Fourrant son visage dans ses cheveux, il soupira :

— A mon avis, ce qui est officiel compte pour du beurre dans cette maison.

Harry avait pressenti qu'il apprécierait la vie de famille, mais il était surpris de voir à quel point. Bien sûr, cela ne faisait qu'une semaine, et les filles se montraient particulièrement gentilles et serviables. De son côté, Jackie semblait avoir renoncé à résister à toutes ses suggestions. Son ventre était de plus en plus lourd, son visage de plus en plus fatigué ; cette fois, il avait vraiment le sentiment de l'aider.

Les filles semblaient fascinées par sa présence, revenant sans cesse vers lui pour lui demander une permission, lui dire où trouver un ustensile de cuisine ou le prévenir de ne pas se servir du cycle chaud du sèche-linge parce qu'il ne fonctionnait plus. S'il se laissait tomber dans le grand fauteuil pour regarder un match ou les informations, Rachel grimpait sur ses genoux et Erica se perchait sur l'accoudoir.

Jackie aussi semblait aimer ces instants, bien qu'elle ne puisse pas s'approcher de lui. Au sourire qu'elle lui offrait, il devinait qu'elle absorbait son amour à travers ses enfants. Il trouvait étrange et assez émouvant de comprendre cela aussi facilement.

Oui, il allait adorer la vie de couple. Les deux nouveaux bébés compliqueraient beaucoup leurs horaires, et mettraient les nerfs de tout le monde en pelote les premiers temps, mais ils trouveraient moyen de s'adapter, comme tant d'autres familles avant eux. Il y aurait assez d'amour pour tout le monde ! Jamais auparavant il n'avait compris combien l'amour était flexible… et inépuisable ! Il se surprit à regretter que son père ne puisse pas assister à sa réussite, non plus professionnelle mais personnelle. Puis il écarta cette pensée : les démons intimes de son père l'avaient empêché de savourer sa propre vie. Il ne serait pas impressionné par le bonheur de Harry, il ne saurait même pas le reconnaître.

Jackie et lui préparèrent ensemble la salade de fruits demandée pour la fête d'anniversaire, et il la cala avec soin dans une glacière.

— Où est-ce que tu aimerais aller en voyage de noces ?
lui demanda Erica en apportant la crème fouettée.

Il se souvenait encore de son imitation de sa mère au bout
du rouleau. Posant son poignet sur son front dans un geste
théâtral, il répondit de la même voix excédée :

— Un mois aux Bermudes !

Erica éclata de rire. Rachel, qui suivait les opérations, à
genoux sur une chaise, annonça :

— Moi, quand j'aurai un voyage de noces, je veux aller à
Disney World !

Sa grande sœur secoua la tête d'un air de compassion.

— Mais non, c'est là que vont les gosses. Pour un voyage
de noces, tu dois aller dans un endroit romantique.

— C'est quoi, romantique ?

— Un endroit où on peut se câliner et s'embrasser.

— On ne peut pas se câliner dans le manège des tasses
de thé ?

Jackie, qui entrait en coup de vent, les manteaux des petites
sur le bras, étouffa la dispute dans l'œuf en lançant :

— On peut s'embrasser et se câliner partout, mais on n'a
pas le temps pour l'instant. Nous allons être en retard.

Elle poussa les filles vers la porte ; Harry la happa au vol
et lui donna un baiser bien senti.

Quand ils arrivèrent, la maison de Haley et Bart était déjà
bien remplie. Il y avait Mike, leur fils adoptif, Adeline bien
entendu, Adam et Sabrina, et plusieurs des innombrables
amies de la reine de la fête. Après avoir fait honneur au
buffet — chacun avait apporté un plat — , tout le monde
se rassembla autour de la table où trônait l'énorme gâteau
d'anniversaire, décoré de fleurs roses et d'un téléphone en
sucre pour symboliser la nouvelle carrière d'Adeline avec
les Gars de Whitcomb.

Jakie, qui aimait beaucoup Adeline, la taquina sur le

nombre de bougies, soutenant que la fumée allait attirer les pompiers. Sans se vexer, celle-ci les souffla avec une belle énergie, discrètement aidée de toute l'assistance qui voulait s'assurer que son vœu se réaliserait.

— Qu'est-ce que tu as demandé ? l'interrogea Haley.

— Elle ne peut pas dire ! protesta Rachel. Sinon, ça ne marchera pas.

— Et si on essaie de deviner, plaisanta Haley, ça peut aller ?

Indécise, la petite se tourna vers sa sœur pour lui demander son avis. Du même mouvement, celle-ci se tourna vers sa mère.

— Voyons, déclara celle-ci en faisant mine de réfléchir, je crois bien que la règle qui empêche de dire son vœu ne s'applique que jusqu'à cinquante ans. Et Adeline a *beaucoup* plus de cinquante ans, conclut-elle avec un sourire taquin pour son amie.

Le groupe éclata de rire et Adeline la menaça de l'index.

— Parce que si tu as demandé des petits-enfants, reprit Haley, c'est gagné d'avance !

— Oui ! se pâma Adeline en tapotant doucement le ventre de Jackie. Quatre d'un coup ! Tu peux le croire ?

— Cinq, corrigea Haley.

Un instant, Adeline ne sembla pas comprendre. Puis Haley et Bart échangèrent un regard ému, Jackie poussa un cri de guerre et la pièce explosa en rires et en acclamations. Tandis que les femmes, largement majoritaires, entouraient Haley, Harry alla extraire Bart de la mêlée et l'empoigna pour une étreinte d'ours. Maintenant qu'il entrevoyait ce que c'était d'avoir des enfants, une simple poignée de main ne lui suffisait plus.

— Félicitations ! s'exclama-t-il en lui tapant dans le dos. C'est pour quand ?

— La mi-octobre !

Plusieurs années auparavant, Bart avait été frappé d'un drame terrible quand sa jeune femme enceinte était morte dans un accident d'avion. Harry scruta son visage à la recherche d'une trace de ce vieux chagrin, mais son bonheur semblait sans nuage.

— Je suis bien, dit Bart, devinant à quoi pensait son beau-frère. Tu sais, ceux que tu as perdus s'installent dans un coin de ta tête pour toujours, mais au bout d'un certain temps, tu t'aperçois que tu peux continuer, et être heureux de nouveau. Bien plus heureux que tu ne le mérites !

Ces paroles résonnèrent en Harry. Oui, cela sonnait juste. Il n'avait pas vécu une déchirure aussi irrémédiable que Bart : Jackie n'était pas morte, elle lui avait seulement échappé pour un temps. Et puisqu'il la récupérait, il n'avait rien perdu, seulement gagné quatre enfants. En somme, il faisait une très bonne affaire !

L'essaim des femmes vint entourer Bart. Harry nota que la seule à se tenir à l'écart du groupe rieur et ému était Sabrina, délicate et glacée dans sa robe de laine blanche. Malgré le sourire plaqué sur son visage, la scène semblait l'ennuyer profondément. Le voyant un peu à l'écart, elle s'approcha de lui, nonchalante et désœuvrée.

— Un groupe bruyant, observa-t-elle en essuyant le dossier d'un banc d'église rembourré de coussins avant de s'y accouder.

— Par ici, nous fêtons l'arrivée des bébés.

— Il y en a pourtant déjà beaucoup.

— Pour certains, il n'y en a jamais assez.

Se tournant un peu plus vers lui, elle glissa, un ton plus bas :

— Je parie qu'il n'y en avait guère à la Nasa.

Il approuva de la tête.

— C'est pour cela que j'en suis parti.

Elle se détourna d'un mouvement éloquent : décidément, il était aussi ennuyeux que les autres ! S'éloignant vers la fenêtre, elle se mit à contempler le jardin. Haley surprit Harry en se jetant dans ses bras.

— Tu savais, toi, qu'on pouvait être aussi heureux ? jeta-t-elle. Toi, tu as Jackie, deux gamines magnifiques et encore deux petits gars à venir, et moi, je suis enceinte !

Il éclata de rire, tout transpercé de tendresse.

— Non, je ne savais pas. Mais on a toujours été plutôt doués, toi et moi, pour obtenir ce qu'on voulait.

Elle l'étreignit de nouveau.

— Mais pendant des années, je ne savais même pas que je voulais !

— C'est vrai, murmura-t-il en la berçant contre lui. Heureusement, Bart savait. Jackie non plus ne savait pas qu'elle me voulait, il a fallu que je lui explique. Vous autres, les femmes, vous ne mesurez pas votre chance.

Elle le serra très fort, puis recula un peu pour lui sourire.

— N'importe quel autre jour, j'aurais discuté, mais pour une fois je trouve que tu as raison. Tu as pensé à ce que sera Noël quand maman aura hérité de cinq petits-enfants en une seule année ?

Très pince-sans-rire, il rétorqua :

— J'espère qu'elle apprécie, au moins, ce que nous faisons pour elle.

Adeline coupa le gâteau ; on rassembla toutes les chaises de la maison et les invités s'installèrent dans un grand cercle irrégulier pour le déguster. Harry aidait Rachel à récupérer une boule de glace tombée de son assiette sur son pull quand il entendit un remue-ménage à l'autre bout de la pièce. Jackie, qui aidait Haley à faire le service, était tout à coup devenue très pâle et semblait souffrir. Son père sauta sur ses pieds pour lui donner son siège ; elle s'y laissa tomber au moment où Harry se précipitait vers elle.

A demi renversée contre le dossier, elle respirait avec précaution, les yeux clos.

— Pas de panique, marmonna-t-elle en respirant par petites bouffées. Je vais bien. Je crois... que les petits se retournaient.

Tendant la main à tâtons, elle murmura :

— Harry ?

Il mêla ses doigts aux siens.

— Je suis là. Tu es sûre que ça va ?

Les lancées s'espacèrent, elle ouvrit les yeux, attentive à ses sensations.

— Je crois que tu devrais appeler ton médecin, rien que pour être sûre, dit son père qui se penchait vers elle, le visage tendu.

— Non. C'est passé, affirma-t-elle avec davantage de conviction, en décochant un bref sourire aux visages anxieux penchés vers elle. C'est déjà arrivé une ou deux fois. Je crois qu'ils oublient que leur logement est trop petit pour qu'ils puissent faire de la gymnastique.

— Tu crois ? répéta Harry. Ça ne prendrait que quelques minutes de t'emmener à l'hôpital pour vérifier.

— Non, décida-t-elle. Ça ne m'a pas fait comme une contraction, plutôt comme...

— Harry a raison, insista Adam. Tu te souviens, quand tu attendais Henry, tu as dû passer les trois dernières semaines allongée.

Un silence total s'abattit sur la pièce. Harry, concentré sur Jackie, mit de longues secondes à mesurer la portée de cette petite phrase.

Puis il vit la panique qui déformait le visage de Jackie et

l'expression horrifiée d'Adam quand elle se tourna vers lui. Puis tous deux le regardèrent et derrière lui, il entendit la voix de sa mère demander :

— Henry ? Mais qui est-ce ?

Le ciel lui tomba sur la tête. Jackie avait porté un enfant appelé Henry. Voilà le secret qu'elle ne partageait pas, qui lui donnait si souvent cet air coupable quand elle le regardait. Voilà aussi la raison pour laquelle elle avait décidé de ne pas partir avec lui, dix-sept ans auparavant. Elle était enceinte ! Elle portait son bébé.

Dans le cerveau enfiévré de Harry, les éléments du puzzle se bousculaient sans parvenir à s'ajuster. Si Jackie avait eu son bébé, sa mère le lui aurait dit, ou Haley ! Mais elle était partie à Boston. Avant que sa grossesse ne soit visible ? Deux ans plus tard, elle était revenue — sans bébé. La confusion vira à la colère, la colère s'amplifia jusqu'à devenir une rage noire.

Jackie avait abandonné son bébé ! Leur bébé.

— Jackie, chuchota Adam, le visage crispé. Je suis désolé.

D'un geste vif, elle passa les bras autour de son cou.

— Ça va, dit-elle à mi-voix. Ne t'en fais pas, papa.

Le groupe des invités restait muet, tous se dévisageant dans un silence de catastrophe. Haley se reprit la première. Ouvrant la porte de la cuisine, elle entreprit d'évacuer la pièce pour donner un peu d'espace aux principaux intéressés.

— Venez ! s'écria-t-elle. Nous finirons notre gâteau par ici.

— Mais qu'est-ce qui se passe ? demanda Erica en cherchant à se faufiler vers sa mère.

Gentiment, Bart l'entraîna avec les autres.

— Ta maman va bien. Harry va s'occuper d'elle.

Sur ces mots, il lança à Harry un regard appuyé que celui-ci préféra ignorer.

— Maman ? demanda Rachel, inquiète.

— Tout va bien, répondit sa mère d'une voix étranglée. Va avec tonton Bart. Je viendrai te chercher dans quelques minutes.

Adam cherchait encore à s'interposer, expliquer.

Se hissant sur ses pieds, Jackie le poussa vers la cuisine.

— Je dois lui dire, papa.

— Mais il faut que je…

— Non. C'est à moi de le faire.

Manifestement déchiré entre le désir de respecter les choix de sa fille, et le besoin de la protéger, Adam se planta devant Harry et lui dit avec beaucoup de fermeté :

— Tes années à la Nasa ont dû t'apprendre à obtenir toutes les informations et à les étudier avant de prendre une décision. J'aurai moins de respect pour toi si tu n'en fais pas autant aujourd'hui.

Puis, avec un dernier regard inquiet pour sa fille, il disparut dans la cuisine. Dès qu'ils furent seuls, Harry se tourna vers Jackie. La pression en lui était telle qu'il se sentait vibrer.

— Tu as eu mon enfant, accusa-t-il.

Jackie aurait aimé mourir. On emploie parfois cette expression à la légère, dans un moment de désespoir ; à cet instant précis, si elle n'avait pas su que ses enfants dépendaient d'elle, elle aurait préféré s'enfuir dans l'au-delà plutôt que d'affronter la scène qui l'attendait.

Elle avait pensé dire cela à Harry avec des précautions infinies, en lui rappelant tout ce qu'ils partageaient désormais, et tout ce qu'ils pourraient vivre ensemble s'il voulait bien comprendre. Et cela se passait comme dans ses pires cauchemars, il découvrait la vérité de la façon la plus brutale qui soit, publiquement, par accident, et même pas par elle ! Elle savait bien que l'égoïsme ne paie pas, mais elle avait tout de même espéré préserver sa petite part de paradis en attendant le moment juste…

Qu'il aurait été bon de pouvoir pleurer ! Mais si elle se laissait aller, il penserait seulement qu'elle cherchait à l'apitoyer. Ravalant ses larmes, la gorge douloureuse, elle trouva la force et le courage de soutenir son regard.

— Oui, dit-elle. C'est vrai. J'ai essayé de te le dire.

— Quand ? Quand as-tu cherché à me le dire ? cria Harry.

Faisant volte-face, il s'éloigna de quelques pas, comme s'il ne supportait plus de la regarder.

— Quand ? répéta-t-il, le dos tourné. Pas une seule fois, en dix-sept ans…

— Si, répondit-elle. Une fois. Le jour de ton départ.

Elle avait beau chercher à se maîtriser, elle se sentait écrasée par une très vieille souffrance… et aussi une peine toute neuve.

— J'ai tenté de t'expliquer pourquoi je ne pouvais pas partir avec toi, reprit-elle, mais tu…

— Tu m'as dit que tu pensais qu'il valait mieux que tu restes ici, coupa-t-il en revenant vers elle à grands pas furieux. Tu n'as pas mentionné…

— Tu ne m'as pas laissée parler, dit-elle tout bas. Tu tempêtais, je n'ai rien pu dire. Puis tu es parti, furieux.

— Et pendant les dix-sept ans depuis ce jour-là ? rugit-il. Un simple coup de fil, une lettre…

Elle se raidit pour ne pas céder à la détresse dans laquelle elle s'enfonçait. Il fallait réussir à se reprendre car tout n'était pas encore dit. Restait à avouer le pire.

— Alors, où est-il ? clama-t-il en ouvrant les bras dans un grand geste qui soulignait l'absence de l'enfant. Où est Henry ?

— Je…

— Tu n'as pas supporté que je refuse d'écouter tes explications, c'est ça ? Tu m'as détesté au point de te sentir incapable de l'élever toi-même ?

— Harry, je…

— Quoi ? Mais quoi ! Tu l'as fait adopter par quelqu'un qui pouvait lui donner une vie plus luxueuse que ton jeune ingénieur débutant ? Tu lui as trouvé une famille huppée sur Beacon Hill ?

— Non ! cria-t-elle plus fort que lui.

Jusqu'ici, elle était parvenue à contrôler ses nerfs. Tout à coup, l'horreur de cette époque déferla sur elle et elle ne maîtrisa plus rien.

— Je l'ai eu pendant cinq mois et je ne l'aurais jamais, jamais donné à qui que ce soit ! Il est mort ! Il n'est pas ici parce qu'il n'a pas vécu !

Les premiers temps, elle s'obligeait à prononcer ce mot. *Mort*. Elle sentait que c'était le seul moyen pour elle d'accepter la réalité. Elle s'était crue si forte parce qu'elle parvenait à le faire, et voilà qu'en le disant aujourd'hui, elle avait encore plus mal qu'à l'époque. Parce que le père du bébé l'entendait pour la première fois ? Parce qu'elle avait d'autres enfants, et mesurait mieux tout ce que Henry aurait été, tout ce qu'elle avait perdu ?

Harry se tut. Son regard empli de souffrance brûlait d'un feu terne.

— Mort, répéta-t-il enfin, comme si lui aussi avait besoin d'entendre le mot pour y croire.

Elle s'accrocha au dossier d'une chaise droite, la contourna et s'y installa avec précaution. Son dos lui faisait affreusement mal.

— Il avait une déficience de glycogène, dit-elle. Une enzyme. Il était tout faible, dès les premiers jours, mais les médecins ont mis près d'un mois à comprendre ce qui se passait. Le jour du diagnostic, ils m'ont dit que cela ne se soignait pas, et qu'il ne survivrait pas très longtemps.

Ses lèvres se mirent à trembler. Elle se souvenait… d'avoir plongé son regard dans celui du petit Henry, si semblable à celui de son père. La force de Harry en lui le poussait à lutter, mais la nature l'avait emporté.

— Il s'est battu pour rester avec moi… pendant cinq mois. Et puis… il n'a plus pu… se battre.

De toute sa vie, Harry n'avait jamais eu aussi mal. Le choc, le chagrin, un refus immense s'entrechoquaient en lui. Son corps avait mal d'exister ; son sang coulait douloureusement, ses poumons le brûlaient, les battements de son cœur lui arrachaient la poitrine. Il s'aperçut que lui aussi avait besoin de s'asseoir.

— Comment… comment as-tu dit que ça s'appelait ?

— Déficience de glycogène, répéta-t-elle d'une voix morne. Le glycogène est généré dans les tissus, surtout le foie et les muscles. Il se transforme en sucre au fur et à mesure que le corps en a besoin. En gros, on pourrait dire que son corps ne pouvait pas se nourrir.

Il se retrouva confronté à l'idée d'un bébé mourant de faim. Son bébé ! De nouveau, la colère et l'angoisse se bousculèrent pour s'emparer de lui. Comme l'angoisse était trop douloureuse, il laissa éclater la colère.

— Pourquoi ne m'as-tu pas dit que tu étais enceinte ?

— Parce que tu avais de grands projets, répondit-elle d'une voix enrouée, reniflant et se tamponnant les yeux avec un mouchoir. Je voulais que tu puisses réaliser tes rêves.

Il jaillit de son siège.

— Le rêve qui passait en premier, c'était toi et notre vie ensemble !

— C'est sûrement pour ça que tu as crié si fort que je n'ai pas pu me faire entendre, et que tu es parti sans te retourner.

Elle ne voulait pas le faire souffrir davantage, mais elle ne parvenait plus à contrôler son propre chagrin. Il accusa le coup.

— C'est injuste de dire ça, articula-t-il tout bas.

— Rien de tout ça n'était juste, riposta-t-elle.

Il s'écarta de nouveau, les poings enfoncés dans les poches. Tombant en arrêt devant le canapé, il se retourna d'un bloc.

— Je ne peux pas croire que tu ne m'aies même pas appelé pour me dire qu'il était né.

Un gros sanglot l'étouffa. Elle murmura avec peine :

— J'ai tout de suite su que quelque chose n'allait pas.

— Tu pensais que je ne pourrais pas l'admettre ? Que j'exigerais qu'il soit parfait avant de le reconnaître ?

— Non ! hurla-t-elle. C'était parce que ça faisait tellement mal ! A quoi bon te faire endurer ça quand il n'y avait rien à faire pour le guérir !

Ses propres paroles lui semblèrent creuses, absurdes. Pourtant, à l'époque, dans l'océan de souffrance où elle se débattait, elles étaient logiques.

— Comment peux-tu me regarder en face et me dire ça ? demanda-t-il, incrédule. J'étais son père. J'avais le droit de le connaître, et lui de me connaître. Tu m'as privé des cinq mois de la vie de mon fils, il n'a pas eu de père.

Il avait raison. A l'époque, ses parents la suppliaient d'appeler Harry, mais elle se sentait tellement démolie qu'elle ne supportait pas l'idée de lui en faire autant. Tout se passait bien pour lui, Adeline recevait des lettres qui racontaient ses premiers succès. Elle aurait eu le sentiment de l'abattre en plein envol. Depuis, elle vivait avec cette culpabilité.

— Je lui ai dit que son père l'aimait, chuchota-t-elle.

— J'aurais dû le lui dire moi-même.

— Je t'aimais ! Ce n'est pas une excuse ?

Elle connaissait déjà sa réponse, avant même qu'il ne la lui rugisse au visage.

— Non ! Parce que je n'y crois pas. Une mère ne sépare pas un fils de son père par amour.

Comment lui faire comprendre que son propre chagrin colorait toutes ses pensées, déformait sa logique ? Elle ne put rien dire de plus car il partit en claquant la porte. Un instant plus tard, elle entendit la camionnette démarrer dans un crissement de pneus.

La porte de la cuisine s'ouvrit à la volée et son père se précipita vers elle.

— Jackie, je regrette, si tu savais comme je regrette, gémit-il en se laissant tomber près d'elle pour la prendre dans ses bras. Après toutes ces années sans rien dire à personne, voilà que je laisse tout échapper devant Harry. Tu étais si pâle, et j'ai eu si peur qu'il y ait un problème…

— Papa, ce n'est pas ta faute…

Elle cherchait encore à le rassurer, malgré les sanglots violents qui la secouaient.

— Ce n'est pas toi, bredouilla-t-elle. J'aurais dû lui dire depuis longtemps. C'est ma faute.

— Je voulais revenir lui faire comprendre mais Adeline a pensé…

— Adeline a pensé qu'il serait blessé et furieux, dit celle-ci en s'approchant, mais j'étais sûre qu'il comprendrait. Apparemment, je me trompais.

— Non, tu ne te trompais pas, dit doucement Haley.

Se glissant devant eux, elle referma les mains froides de Jackie autour d'une tasse de thé brûlant.

— Il a juste besoin d'un peu de temps. Vous vous rendez compte du choc ? Lui qui prévoit tout, qui organise tout, il trouve cela insupportable d'être pris de court. Les hommes sont comme ça, quand ils se sentent vulnérables, ils se mettent en colère. Bois, Jackie. C'est chaud, ça te fera du bien.

Jackie avala une gorgée pour lui faire plaisir, et fut surprise de se sentir un peu soulagée. Cela réchauffait le bloc de glace dans sa poitrine. Machinalement, elle frotta l'endroit puis, voulant se rapprocher de ses bébés, elle tapota son ventre. Une idée affreuse lui vint.

— Où sont les filles ? s'écria-t-elle. Elles ont entendu notre horrible dispute ?

— Bart les a emmenées dans le jardin, répondit Haley.

Même dans le jardin, elles avaient dû entendre des bribes de la dispute. S'accrochant à la main de son père, elle entreprit de se lever.

— Haley, Adeline, je suis désolée d'avoir gâché la fête.

— Oh, je t'en prie ! s'exclama son amie en serrant sa main libre entre les siennes. C'est moi qui suis désolée que ça se soit passé comme ça.

— C'était un merveilleux anniversaire, intervint Adeline. Je vous remercie tous pour mon pull magnifique.

D'un seul coup, la fatigue s'abattit sur Jackie. Une fatigue immense, insupportable.

— Je crois que je vais rentrer, murmura-t-elle. Excusez-moi, tous…

— Je te raccompagne chez toi, proposa Haley.

— Non, je m'en charge, décida Adam. Je fais monter les filles dans la voiture, puis je reviens te chercher.

— Je vais bien, papa.

— Peut-être, mais attends-moi ici tout de même, ordonna-t-il.

Pour la première fois, on entendit la voix de Sabrina.

— Adam, nous sommes censés retrouver les McGovern pour l'apéritif avant d'aller au théâtre.

Jackie leva les yeux, surprise. Elle avait complètement

oublié Sabrina, et Adam semblait presque aussi étonné de la trouver là. Sans tenir compte de ce qu'elle venait de dire, il demanda :

— Tu veux bien aller chercher le manteau de Jackie ?

Puis il partit chercher les filles. Le menton levé d'un air de défi, Sabrina passa dans le bureau où Haley avait déposé les manteaux de ses invités.

Le trajet du retour sembla interminable. Jackie était assise à l'arrière, encadrée par les filles qui ne disaient rien. Ce silence ne leur ressemblait guère ; leur grand-père leur avait-il demandé de ne pas parler de ce qui venait de se passer ?

Une fois à la maison, elle les emmena avec elle à l'étage, laissant son père et Sabrina dans la cuisine. Elle n'avait aucune idée de la façon dont elle expliquerait ce qui venait de se passer, mais elle se devait d'essayer.

Toutes trois s'assirent sur le lit qu'elle partageait avec Harry depuis quelques jours. Son jean et sa chemise de flanelle, retirés pour la fête, gisaient sur une chaise ; le parfum de son après-rasage flottait dans la pièce ; la couette était encore dérangée par la sieste qu'elle avait faite avant de partir, quand tout était encore parfait entre eux.

Devinant sans doute qu'elle avait besoin d'aide, Erica parla la première.

— Tu as eu un bébé appelé Henry…

Jackie approuva de la tête sans trouver la force de parler.

— Mais ce n'était pas avec papa.

Jackie ouvrit la bouche pour répondre, mais la grande ajouta doucement :

— Tonton Bart nous a emmenées dehors, mais on pouvait encore vous entendre.

— Ce n'était pas avec papa, non. Harry était mon petit ami à l'époque. C'était longtemps avant votre naissance, longtemps avant que je ne me marie avec votre papa.

Appuyée contre elle de l'autre côté, Rachel protesta :

— Mais si Harry était seulement ton petit ami, tu ne pouvais pas avoir de bébé. Il faut être mariée pour avoir un bébé.

— Non, ce n'est pas obligé, répondit Jackie dans un soupir. Mais cela simplifie beaucoup les choses. Harry et moi, nous avions décidé de déménager en Californie. Quand je me suis aperçue que j'allais avoir le bébé, je ne lui ai rien dit parce que j'avais peur qu'il veuille rester ici, qu'il renonce à ses études. Il ne me semblait pas que ce serait bon pour lui.

— Mais alors, dit Erica, interdite, Henry n'a pas eu de papa !

Jackie hocha la tête et sentit la douleur familière s'enfler en elle.

— Je me suis trompée. Je pensais que c'était la meilleure chose à faire, mais ce n'était pas vrai.

— Et Henry est tombé malade, et il est mort.

— Oui.

Etirant ses petits bras pour entourer le ventre de Jackie, Rachel demanda :

— Tu étais triste ?

— Très triste.

— Tu as pleuré ?

— Pendant très longtemps.

— Et maintenant, reprit Erica, Harry est en colère avec toi parce qu'il n'a pas pu voir Henry.

Une fois de plus, Jackie hocha la tête, incapable de parler. Longtemps, elles restèrent blotties les unes contre les autres dans la chambre silencieuse. Puis Erica demanda :

— Est-ce qu'il va revenir ?

En règle générale, Jackie s'efforçait de ne jamais leur donner de réponses vagues.

Cette fois pourtant, elle ne put qu'avouer qu'elle ne le savait pas.

Harry roula jusqu'à Gloucester, aux confins de l'Etat. Ayant choisi cette route au hasard, il roula jusqu'au moment où il leva les yeux et reconnut le monument au Pêcheur de Nouvelle-Angleterre. S'arrêtant seulement le temps de boire une tasse de café, il fit le plein et prit la route de Boston. Tout en conduisant, il s'efforçait de réfléchir, mais la douleur était si brutale qu'il devait faire très attention à sa conduite.

Près de l'aéroport international Logan, il rebroussa chemin et fila vers l'ouest. Quand il s'arrêta de nouveau pour reprendre du café, la serveuse lui fit remarquer que ses mains tremblaient et lui conseilla de manger quelque chose. Il réussit à avaler des œufs et du pain grillé.

Les kilomètres vides filaient sous ses roues. Son tumulte intérieur s'apaisa un peu et un tableau se présenta à lui : Jackie, à dix-neuf ans, un bébé dans les bras. Se hâtant de l'écarter, il chercha vite une autre préoccupation pour se remplir l'esprit. Le travail ! Cela au moins, il pouvait y penser. Il devait même y penser d'urgence, car il allait devoir déplacer les Gars de Whitcomb. Ce ne serait plus possible pour lui de rester à Maple Hill, de voir Jackie tous les jours et de se souvenir qu'elle l'avait privé de son fils. Son garçon.

Puis il se souvint qu'il s'était engagé pour un chantier à l'école privée, juste en dehors de la ville. Il devait également rencontrer les représentants de Holden Construction qui voulaient lui confier l'électricité d'un lotissement sur la route du Vieux Relais. Et tous ses « Gars » vivaient à Maple Hill ou dans le voisinage. Il ne pouvait pas partir.

Dans ce cas… dans ce cas, il quitterait au moins son bureau au sous-sol de la mairie. Oui, mais il avait promis de refaire l'électricité du bâtiment, et sa promesse figurait aux minutes de la réunion du conseil municipal. Eh bien, il n'aurait qu'à faire des allers et retours à partir d'un bureau extérieur. Oui, mais ce serait stupide, rien que pour se faciliter la vie pendant un petit mois, alors qu'il avait tout le nécessaire sous la main…

Très bien ! Dans ce cas, il resterait sur place. Du moment qu'il déménageait de chez Jackie… Cela, c'était absolument incontournable. Il serait même indécent de rester ; il ne pourrait pas la voir sans lui faire de reproches et il se refusait à lui faire des reproches devant les filles. Oui. Voilà. Il déménagerait demain matin, à la première heure.

Il entrait dans Auburn quand il se souvint qu'il avait promis à Rachel d'installer un éclairage dans sa maison de poupées, et à Erica de l'aider avec un projet pour son cours de sciences. Et les nouvelles prises, dans leurs chambres… La promesse en elle-même ne comptait guère, c'est à *elle* qu'il l'avait faite, mais si elle pensait que des lecteurs de CD aideraient les filles à se sentir moins délaissées à l'arrivée des bébés…

Voilà : il resterait jusqu'à l'arrivée des jumeaux, parce qu'il avait promis aux filles de prendre soin d'elles. Il s'installerait dans la chambre d'amis et, dès la naissance, il viderait les lieux. Et dès qu'il aurait terminé le chantier de la mairie, il déménagerait aussi son bureau.

14.

Dès son réveil, Jackie sentit l'arôme du café ainsi qu'un autre parfum… une brioche au four. Elle se redressa, le cœur battant. Harry était de retour ! Cet élan instinctif retomba aussitôt. Non, bien sûr. C'était sûrement son père, qui s'était installé avec Sabrina dans la chambre d'amis la veille au soir. Son père si gentil et attentionné, répétant qu'elle ne pouvait rester seule après tant de bouleversements, et aussi son curieux malaise de la veille, tandis que Sabrina grimaçait en l'écoutant annuler leur soirée théâtrale avec les McGovern.

Quant à Harry, elle ne le reverrait sans doute jamais. Elle était restée éveillée pendant des heures, trop malheureuse pour pleurer. Ce matin, elle avait un sournois mal de tête, ainsi qu'une profonde impression de malaise dans tout le corps. Que ce serait bon de passer la journée au lit ! Bien entendu, elle ne le pouvait pas : comme par hasard, les enseignants avaient une journée de stage et il faudrait trouver à occuper les filles. Elle avait du travail à la mairie, une procédure de révocation à affronter, cela faisait plusieurs jours qu'elle ne mettait plus les pieds à l'Auberge, sans parler des derniers préparatifs pour accueillir les bébés. Aucun repos à l'horizon !

Elle s'autorisa à sangloter sous la douche, se repaissant des souvenirs de la semaine qui venait de s'écouler et se répétant combien elle avait été stupide, inconsciente, de repousser l'inévitable. Puis, se sentant un peu mieux, elle sécha ses cheveux et enfila un pull kaki sur un corsage blanc. Elle ressemblait à un camion de l'armée mais, au moins, elle était à son aise. Pressant une main sur ses reins douloureux, elle se dirigea vers la chambre d'Erica. Elle était vide, tout comme celle de Rachel.

Son père avait déjà dû les lever. Elle descendit et les trouva attablées dans la cuisine, bavardant joyeusement en dévorant des gaufres aux fraises et à la crème fouettée.

— Papa ! s'exclama-t-elle en entrant. C'est trop gentil de préparer tout ça, je ne veux pas que tu...

Elle s'arrêta net, sentant son cœur faire un bond brutal dans sa poitrine. Harry se tenait devant le fourneau. Il était revenu ! Ils allaient pouvoir parler, elle pourrait peut-être...

Il lui jeta un bref regard et la salua poliment. Sans la regarder, il sortit une assiette du four et la posa à sa place habituelle, avec un petit bol de fraises. Ce fut comme si son cœur se brisait, une fois de plus.

Non, ils ne parleraient pas. S'il était revenu, c'était uniquement pour les filles.

Dignement, elle prit place à table et regarda son assiette sans faire un geste pour manger. Cette situation était trop humiliante, rien ne l'obligeait à l'accepter. Quand les filles monteraient chercher leurs affaires de classe, elle lui parlerait, qu'il le veuille ou non. Elle lui ferait comprendre qu'elle n'attendait rien de lui. C'était sans doute très noble de sa part de vouloir tenir la promesse faite aux filles, mais s'ils n'avaient aucun avenir ensemble tous les deux, ce serait plus facile pour tout le monde que les choses soient claires tout de suite.

— Quand es-tu arrivé ? demanda-t-elle poliment.

S'il ne voulait pas lui adresser la parole, tant pis pour lui !

— Vers 4 h 30 ce matin, dit-il en versant une tasse de café, qu'il lui apporta. Ton père et Sabrina étaient dans la chambre d'amis, alors je me suis mis sur le canapé.

— Grand-père nous emmène faire une grande sortie aujour-d'hui, annonça Erica en tendant une serviette à sa mère. Il est allé prendre de l'essence.

Voilà déjà un souci en moins ! Harry se détourna sans avoir croisé son regard une seule fois ; elle leva les yeux vers l'horloge.

— Pépé vient seulement de partir ?

— Il y a quelques minutes, répondit Erica. Sabrina veut faire du shopping, mais pépé a envie d'une longue randonnée. Il dit qu'on a tous besoin de se dépenser un peu.

— On peut appeler Harry papa, maintenant, ajouta Rachel.

Sa gaufre terminée, elle mangeait le reste de ses fraises à la cuillère, perdue dans un monde à elle où ils étaient encore une famille parfaite. Elle ne se rendait pas encore compte que sa mère avait tout gâché !

Erica levait vers elle un regard plus sagace. Elle au moins comprenait que l'heure était grave, mais Jackie lui avait toujours enseigné l'optimisme, et elle pensait sans doute que tout finirait par s'arranger puisque Harry était de retour. Jackie aurait aimé être encore assez naïve pour y croire.

Dix minutes plus tard, son père était de retour.

— Prêtes ? lança-t-il en apportant leurs blousons aux filles. Merci d'avoir pris la relève, Harry.

— Pas de problème. Où allez-vous ?

— Une destination inconnue, répondit Adam avec entrain en se penchant pour embrasser sa fille. Je vous passerai un coup de fil si je vois que nous risquons de rentrer après 14 heures. J'ai rendez-vous chez le dentiste à 14 h 30. Ah, te voilà, Sabrina !

La jeune femme entra dans la cuisine, élégante et l'air

d'une martyre. Saluant Harry et Jackie du bout des lèvres, elle sortit avec les autres, manifestement ennuyée de passer sa journée avec des enfants. Les filles ne semblaient pas conscientes de son attitude.

— Veux-tu que je prépare le dîner ce soir ? demanda Adam à Jackie.

Puis, levant les yeux vers Harry, il ajouta d'une voix égale :

— A moins que vous n'ayez déjà organisé quelque chose… Tu seras là ? Nous ne voudrions pas nous imposer.

— Je serai là, répondit Harry. Je préparerai le repas, mais pourquoi ne pas dîner avec nous ?

— Avec plaisir. Nous apporterons le dessert.

— 18 heures, alors ?

— Parfait.

Voilà, il sortait à son tour.

Rassemblant tout son courage, elle ouvrit la bouche quand la porte de la cuisine s'ouvrit de nouveau et Rachel reparut, engoncée dans son blouson, son petit sac à dos en forme d'ourson dansant dans son dos. Jackie se tourna vers elle, prête à répondre à une question ou à retrouver un trésor égaré, mais sa fille courut droit vers Harry qui se sécha les mains sur un torchon et se pencha vers elle en souriant.

— Alors, Rachel ? Tu as oublié quelque chose ?

— J'ai oublié de te faire un bisou, répondit-elle en se haussant sur la pointe des pieds pour passer les bras autour de son cou.

Il lui embrassa la joue tandis qu'elle le couvrait de baisers bruyants. Puis, le fixant droit dans les yeux avec un grand sourire impudent, elle lança :

— Au revoir, papa !

Voilà pourquoi elle était revenue, comprit Jackie. Pour avoir l'occasion de prononcer ce mot. Un instant, Harry eut une expression douloureuse. Puis il s'éclaircit la gorge, pinça le menton de Rachel et répondit :

— Au revoir, bébé. Passe une bonne journée.

— Toi aussi ! chantonna-t-elle en filant vers la porte. Toi aussi, maman !

La porte claqua derrière elle. Les vibrations résonnaient encore dans la pièce quand Harry vint s'asseoir à la table en face de Jackie. Il prit une position bizarre, presque de profil, comme s'il ne supportait pas de la regarder en face. Elle retrouva le feu blessé de ses yeux, voilé maintenant par la fatigue. D'une voix froide et distante, il dit :

— Je suis uniquement revenu pour Rachel et Erica, et je ne resterai que jusqu'à la naissance des jumeaux. D'ici là, tu devras trouver une façon de leur expliquer mon départ.

Il avait le droit d'être en colère, mais s'il revenait uniquement pour lui faire sentir cette colère, encore et encore, jusqu'à l'accouchement, elle ne pensait pas pouvoir le supporter.

— Je leur ai dit hier que tu ne reviendrais peut-être pas, dit-elle d'une voix égale. Ce serait peut-être à toi de leur expliquer pourquoi tu es là. Parce que si tu cherches uniquement à me torturer avec ce qui s'est passé, ce ne sera pas très bon pour elles. Nous devrons continuer à vivre toutes les trois quand tu seras parti. Je me débrouillerai mieux si je suis à peu près intacte sur le plan émotionnel.

— Pourquoi le serais-tu ? demanda-t-il en la regardant dans les yeux pour la première fois. Moi, je ne le suis pas.

Repoussant le petit déjeuner auquel elle n'avait pas touché, elle se pencha vers lui. Elle devait lui faire comprendre, elle devait au moins essayer.

— Harry, je ne peux plus rien y changer ! J'ai eu tort. J'assume cette responsabilité, bien que tu aies refusé de m'écouter quand j'ai essayé de te mettre au courant. Je ne t'ai jamais appelé par la suite, c'est vrai, mais tu ne m'as jamais appelée non plus. Je ne sais pas comment te dire à quel point je regrette de t'avoir fait ça ; de toute façon, quoi que je dise, je ne changerai pas ce que tu ressens. Ecoute, pars tout de suite, j'expliquerai aux filles.

Il secoua la tête, implacable.

— Tu m'as retiré la possibilité d'assumer mes responsabilités quand Henry est né. Tu ne le feras pas une seconde fois. Il ne s'agit pas de mes enfants cette fois, mais je leur ai fait une promesse et je la tiendrai.

— Pendant quelques jours, répliqua-t-elle avec la même brutalité. Ta promesse n'était pas conditionnelle, il me semble ? De toute façon, tu les quitteras.

— N'essaie pas de rejeter la faute sur moi, rétorqua-t-il d'un ton froid.

— Et pourquoi pas ? hurla-t-elle, incapable de supporter son attitude un instant de plus. Je sais que c'est terrible pour toi, mais demande-toi juste une minute comment c'était pour moi ! Une gamine de dix-neuf ans, seule dans une ville inconnue avec un bébé mourant et l'homme que j'aimais parti poursuivre ses rêves ? Tu ne peux pas me pardonner ? D'accord ! Mais moi, je me pardonne. Je suis morte mille fois pendant ces cinq mois. Je crois que j'ai suffisamment expié.

Harry ne voulait pas penser à cela, il ne voulait pas se la représenter avec un bébé mourant dans les bras. L'amie qu'il adorait, l'amante qu'il chérissait… toute seule, si jeune, éperdue de chagrin. Mais lui aussi avait perdu Henry et à cause d'elle, il l'apprenait seulement maintenant. A l'époque, il étudiait et faisait la fête sans se douter un seul instant qu'à trois mille kilomètres de là, son fils naissait et mourait.

Curieusement, la souffrance qu'il voyait dans les yeux de Jackie ne faisait que renforcer la sienne.

De toute façon, il avait pris sa décision et ni le chagrin ni la colère ne le feraient changer d'avis. Son travail était ici, il avait plusieurs projets importants en cours ; il y avait aussi sa promesse aux filles. Obscurément, il devinait qu'une autre force le retenait ici mais, cela, il refusait catégoriquement d'y penser.

— Je t'emmènerai au travail quand tu seras prête, dit-il.

Puis il quitta la cuisine et monta prendre une douche rapide et se changer.

Quand il redescendit, la cuisine était vide. Etait-elle partie à pied ? Se penchant à la fenêtre de la cuisine, il balaya la rue du regard — et la vit à quelques mètres de lui. Comme elle ne parvenait plus à se glisser derrière le volant de son monospace, elle s'efforçait de monter dans sa camionnette !

Il saisit son blouson et courut dehors. Elle était coincée sur le marchepied. Dans ce véhicule aussi, l'espace entre le volant et le siège était trop exigu ; le tabouret avait basculé et elle tâtonnait du pied dans le vide sans trouver le sol. Il se précipita, l'aida à redescendre. Les clés qu'il venait de lui donner la semaine précédente étaient serrées dans sa main. Lui jetant un regard de défi, elle les lui tendit et se laissa entraîner de l'autre côté du véhicule. Quand il l'eut aidée à grimper de ce côté, il fit ce qu'il faisait toujours : il étira la ceinture de sécurité au maximum avant de la lui tendre.

Elle avait le visage marbré de larmes, les yeux gonflés et le nez rouge. Il se sentit affreusement coupable, et dut se hâter de se remémorer tous les torts qui justifiaient sa propre attitude. Ils n'échangèrent pas un mot pendant le trajet.

Quand il se gara, elle voulut descendre sans aide, mais la ceinture de sécurité s'était prise dans la bretelle de son sac et elle ne parvenait pas à se dégager. Quand il vint ouvrir sa portière pour l'aider, elle semblait prête à basculer dans l'hystérie. Le sac libéré, il lui offrit sa main, puis se ravisa : ce serait tenter le sort que de la laisser poser le pied sur le marchepied trop étroit, puis sur ce tabouret qu'elle ne voyait pas. Surtout dans un tel état de nerfs ! Il la souleva dans ses bras et la posa sur ses pieds. Elle le frappa de son sac et se dirigea vers la porte latérale, marchant maladroitement sur la neige compactée du parking, silhouette tragi-comique avec cet énorme corps juché sur des pieds aussi menus.

Ce fut en la regardant s'éloigner qu'il mesura à quel point leurs vies étaient inextricablement mêlées. Pour la première fois, il comprit que s'il ressentait tant de rage et tant de souffrance en pensant à Henry, c'était parce qu'elle ne lui avait pas permis de partager son chagrin.

Laissant la camionnette sur le parking, il partit à grands pas vers La Petite Française pour commander un café et un gâteau à emporter. Il se détournait pour repartir quand il vit Bart et Cameron à une table du fond. Bart lui faisait de grands signes pour l'inviter à les rejoindre. Il n'avait pas envie de bavarder — surtout avec des amis au courant de ce qui s'était passé la veille ! Mais s'il allait au bureau, ce serait encore pire, car il devrait affronter sa mère.

Elégant dans son complet sombre, Bart se poussa pour lui faire une place sur la banquette.

— Tu es de retour, observa-t-il.

— Comme tu vois. Tu plaides, aujourd'hui ?

Bart fronça les sourcils, hésita, puis se contenta de répondre :

— Ouais. Si je comprends bien, vous ne vous êtes pas encore réconciliés ?

Harry secoua la tête, goûta son café et entama son gâteau.

— Pas encore, et probablement pas du tout.

— Pourquoi pas ?

Jetant un regard d'excuse à Cameron, Harry répondit avec impatience :

— Parce que je ne risque pas d'oublier que, à cause d'elle,

je n'ai pas pu voir mon fils. Laisse tomber, Bart. Cameron n'a pas envie d'entendre tout ça.

— Mon père est alcoolique et ma mère est en prison, repartit paisiblement celui-ci. Les problèmes des autres ne me choquent pas. Madame le maire fait des difficultés ?

Harry mit un instant à encaisser les révélations du jeune homme.

— C'est ce qu'elle fait le mieux, dit-il enfin, buvant encore du café pour se donner une contenance.

— Et tu vas t'arrêter là ? s'enquit Bart. Parce qu'elle a tenté de t'épargner le chagrin qu'elle endurait ?

Harry dévisagea son ami, incrédule.

— C'était un bébé, Bart ! Un petit garçon, pas un mauvais rhume. J'ai perdu mon fils sans avoir jamais vu son visage.

Bart se tut un instant, puis dit d'une voix un peu hésitante :

— Moi aussi. Je comprends ce que tu ressens.

Trop préoccupé par ses propres problèmes, Harry n'avait pas encore fait ce rapprochement. Bart aussi avait perdu un enfant sans jamais l'avoir vu. Sa jeune femme en même temps que l'enfant à naître... Il était resté auprès de lui heure après heure, jour après jour, pour l'empêcher de glisser dans les ténèbres qui s'ouvraient à ses pieds.

— Je suis désolé, dit-il en laissant retomber son gâteau. Je ne me complais généralement pas dans mes problèmes mais... nom de Dieu ! J'avais un fils.

Bart ne répondit pas. Mal à l'aise, Harry se demanda s'il se taisait parce qu'il n'avait plus rien à dire, ou parce qu'il pensait à son propre deuil. D'une voix toujours aussi tranquille, Cameron observa :

— Ce n'est pas facile d'en vouloir à une femme qui a voulu te protéger. La plupart d'entre elles cherchent plutôt à te prendre quelque chose, ou à te reprocher ce qu'elles n'ont pas. Elle a eu tort, mais au moins elle pensait à toi.

— Tu n'as pas de gosses, grinça Harry.

— Non, convint l'autre.

— Alors je ne suis pas sûr que tu puisses comprendre.

Cameron haussa les épaules.

— Je sais ce que c'est d'être seul. Je peux au moins te dire de réfléchir à deux fois, avant de finir comme moi.

Harry aimait beaucoup Cameron. Il ne le connaissait pas depuis très longtemps, mais c'était un garçon sincère, prêt à se donner du mal, et qui ne râlait jamais. N'empêche, il n'allait pas tarder à l'énerver.

— Merci, dit-il brièvement.

Le grand garçon se mit à rire.

— Mais fiche-moi la paix, c'est ça ?

— C'est ça.

— D'accord, dit-il en regardant sa montre. De toute façon, je dois être au Perk Avenue dans dix minutes. Les conduites d'eau chaude font de drôles de bruits. Je te passerai un coup de fil quand j'aurai terminé.

Glissant hors de la banquette, il s'éloigna à grands pas. Bart prit sa place en face de son beau-frère.

— Où es-tu allé cette nuit ? demanda-t-il. Adeline et Haley étaient folles d'inquiétude.

— A Gloucester.

Bart haussa un sourcil surpris, puis se leva sans commentaire et alla chercher une cafetière pleine au comptoir pour remplir leurs tasses. Harry avala le breuvage brûlant avec reconnaissance.

— Tu l'aimes, observa Bart en reprenant sa place.

Harry sentit un poids s'installer dans sa poitrine comme s'il ne devait plus jamais s'en aller.

— Oui. Mais je ne peux pas lui pardonner ça.

Bart se renversa en arrière en le toisant d'un air austère.

— Tu es sûr que ce n'est pas à toi que tu en veux ?

— Comment ça ? s'exclama Harry, sur la défensive.

— Si tu l'avais écoutée quand elle a tenté de te dire qu'elle était enceinte, tu aurais connu ton fils.

Harry leva les mains au ciel, incrédule, et les abattit sur la table, si violemment que le café bondit dans leurs tasses.

— Je vois ! Finalement, tout est ma faute ! Tiens, je ferais bien de m'en aller avant de m'énerver vraiment.

Bart approuva de la tête, mais ajouta :

— N'oublie pas ce que tu me disais toujours quand Marianne est morte : « Ça continuera à te faire mal tant que tu te concentreras sur la douleur. »

— Ouais, c'est ça, grogna Harry en se glissant rageusement hors de la banquette.

— Tu as oublié que c'est aujourd'hui, l'audience de révocation ? lança son beau-frère derrière lui.

Il s'arrêta net, bouche bée. Oui, il avait oublié. Et Jackie n'en avait pas dit un mot.

Eh bien, pensa-t-il en sortant sans se retourner, ce n'était plus son problème. Pour lui, il n'y avait plus que les filles.

— Mais, votre Honneur, protesta Brockton.

Le juge de l'audience préliminaire venait d'écarter une première accusation : celle selon laquelle Jackie cherchait à promouvoir ses propres intérêts en soutenant l'ouverture du Perk Avenue sur la place de Maple Hill.

— Ces femmes, les propriétaires, sont des amies à elle. Elles…

Le juge, un homme d'un certain âge venu de Springfield, agita la main avec impatience.

— C'est une petite ville, monsieur Brockton. Tout le monde

connaît tout le monde. Et si je comprends bien, le seul autre candidat pour ce local était pour installer un…

Il s'interrompit un instant pour consulter ses notes.

— … une franchise de fast-food, qui n'avait pas encore achevé les démarches nécessaires.

Levant les yeux avec un sourire, il précisa :

— L'intéressé était un membre de votre famille, je crois ?

— Oui, votre Honneur, dit Brockton en se redressant avec une certaine raideur, mais le plus important, c'est qu'il allait ouvrir un restaurant qui aurait créé davantage d'emplois et davantage de revenus pour la commune. Je n'ai rien à gagner dans les affaires de mon frère.

Le juge fronça les sourcils.

— J'ai consulté les archives, monsieur Brockton, et je n'ai rien trouvé qui puisse suggérer que Mme Boullois ait tiré un quelconque profit de la création de cet établissement. Son avocat, en revanche, m'a fourni un témoignage affirmant que vous possédez une part de l'entreprise de bâtiment de M. Benedict. Si votre frère avait acheté le local, vous auriez tiré des bénéfices de la rénovation, pour laquelle votre frère entendait employer M. Benedict. Je vous précise que ce témoignage provient de Mme Benedict.

Stupéfaite, Jackie se tourna vers Bart, qui lui lança un bref clin d'œil avant de se concentrer de nouveau sur le juge.

— Passons à votre dernière allégation, monsieurBrockton, ordonna celui-ci.

Jackie réprima un mouvement nerveux.

Jetant un regard noir dans sa direction, Brockton s'adressa de nouveau au juge.

— Tout le monde ici sait que Mme Boullois et Harry Whitcomb ont eu une relation amoureuse quand ils étaient adolescents.

— Et quel est l'intérêt de cette vieille histoire aujourd'hui, monsieur Brockton ?

— Vous aurez noté les photographies jointes au rapport du comité de révocation. Elles montrent Mme le maire à plusieurs occasions, dans des situations d'intimité avec M. Whitcomb. Nous estimons que cette vieille histoire, comme vous dites, est de nouveau d'actualité, et que la présence du bureau de M. Whitcomb dans les locaux de la mairie, et le fait que M. Whitcomb a été retenu par la municipalité pour...

— Si je comprends bien, il refait gratuitement l'électricité de la mairie ? interrompit le juge.

— Mais M. Dancer s'est également adressé à lui pour changer les plafonniers, et je sais qu'on envisage de lui confier le chantier du centre d'accueil des SDF.

— Votre Honneur, intervint Bart, M. Whitcomb et Mme Boullois ont effectivement des rapports intimes...

« Avaient », corrigea mentalement Jackie. Harry n'était même pas venu à l'audience.

— Mais le fait qu'il soit employé par la municipalité n'a rien à voir avec Mme Boullois. L'adjoint chargé des travaux a toute latitude pour choisir ses artisans pour des chantiers aussi mineurs que celui-ci. Au-dessus d'un certain chiffre, bien entendu, il doit demander l'accord du conseil municipal. Je tiens à souligner que M. Whitcomb a été choisi grâce à son excellente réputation. Non, ce qui se passe ici n'a rien à voir avec lui. En résumé, M. Brockton fait tout ce qui est en son pouvoir pour rendre cette mairie hostile à Mme Boullois. Il était proche de notre ancien maire, actuellement incarcéré pour escroquerie, il espérait être élu à sa place, mais la commune a préféré Mme Boullois. Nous sommes convaincus que cette tentative de révocation est uniquement provoquée par une jalousie et une hostilité personnelles.

— Votre dossier est effectivement plus que léger,

monsieur Brockton, lança le juge en feuilletant ses notes. Ma copie du devis pour les plafonniers indique que M. Whitcomb n'a demandé que le minimum légal pour la main-d'œuvre. Quant au témoignage de Mme Benedict, il comporte une seconde partie. Vous et son mari vous êtes livrés à un véritable harcèlement envers Mme Boullois et M. Whitcomb.

Cette fois, Brockton en resta bouche bée.

— Nous... nous les avons surveillés... pour surprendre...

— Sans position légale, monsieur Brockton, cela s'appelle du harcèlement.

— Mais nous sommes un comité de révocation !

— Vous ne l'êtes plus ! se prononça le juge. Je ne découvre aucun motif valable de révocation, mais un motif suffisant pour enquêter sur votre propre comportement, monsieur Brockton, ainsi que celui de M. Benedict. Madame Boullois, vous pouvez vous remettre au travail.

Bart aida Jackie à se mettre sur pied tandis que le juge quittait la salle d'audience.

Ce fut à cet instant, debout au premier rang d'une salle bondée, sous les applaudissements des citoyens venus soutenir leur maire, qu'elle perdit les eaux.

15.

Assis à son bureau, Harry planchait sur la comptabilité des Gars de Whitcomb. Vu son état d'esprit, il préférait s'occuper de paperasserie pour le reste de la journée plutôt que de se risquer à prendre ses outils.

Sa mère refusait de lui adresser la parole. En le rejoignant ce matin, elle lui avait tout de suite demandé des nouvelles de l'audience de Jackie. Parti réparer une panne au service radio de l'hôpital, il n'était au courant de rien.

Lui jetant un regard accusateur, elle avait dit :

— Je sais que cette histoire t'a fait un choc terrible, mais tu n'es pas seul en cause. Si elle s'est trompée, elle a agi par amour pour toi, pas par égoïsme. Tu aurais dû être à l'audience auprès d'elle. Je suis sûre que l'hôpital pouvait attendre.

Et elle s'était attelée à son éternel patchwork en lui disant d'un ton sec :

— Puisque tu es au bureau aujourd'hui, tu n'as qu'à répondre au téléphone toi-même.

Depuis cinq minutes maintenant, il fixait la facture de l'école Manor à l'écran. S'il ne voulait pas perdre complètement sa journée, il ferait bien de se secouer ! La semaine précédente, il avait envoyé Cameron là-bas faire un devis. Il l'afficha à l'écran, et commençait juste à prendre des notes quand le téléphone sonna. Sa mère tirait l'aiguille en faisant semblant de ne rien entendre.

— Les Gars de Whitcomb, dit-il sans cesser d'aligner ses chiffres. Harry à l'appareil.

— Harry, c'est Bart.

Quelque chose dans son intonation le fit repousser ses papiers.

— Ils ne l'ont tout de même pas révoquée ?

— Non, le juge a rejeté l'affaire.

— Tu n'as pas l'air très content.

— Si tu te préoccupais du résultat, tu aurais dû venir.

— Il y avait un problème à l'hôpital, protesta-t-il, sur la défensive. Ne me juge pas avant d'avoir les faits. De toute façon, Jackie n'en a même pas parlé ce matin.

— Je m'en doute ! C'est curieux, tout à coup, ce n'est plus très facile de te parler.

Harry se retint de répliquer, demandant seulement :

— Pourquoi m'appelles-tu ?

— Jackie est à l'hôpital.

— Il lui est arrivé quelque chose ?

— C'est le grand jour, mon vieux, elle accouche. Elle voudrait avoir Adeline auprès d'elle. En fait, c'est plutôt elle que je cherchais à joindre. Mais je devais aussi te prévenir que Haley et moi, nous garderons les filles jusqu'à ce qu'elle quitte la maternité. Tu peux partir tranquille.

Partir ? La rancœur l'empêcha de répondre.

— Harry ? dit Bart.

— Attends, réfléchit-il tout haut. C'est Adam qui a les filles. Ils les a emmenées en randonnée, il comptait être de retour à 14 heures.

— Jackie m'a demandé de le prévenir, mais ni lui ni Sabrina ne sont à l'auberge.

— Tu as essayé chez Jackie ?

— Je viens d'appeler, il n'y a personne.

— Il avait rendez-vous chez le dentiste à 14 h 30.

Harry leva les yeux vers l'horloge. Il était 16 h 15.

— Est-ce qu'il aurait emmené les filles avec lui au rendez-vous ?

— Qui est son dentiste ?

— Je n'en ai aucune idée. Ecoute, je ne sais pas ce qui se passe, mais je file à l'hôpital. Essaie d'y voir clair, tu veux ? Renseigne-toi pour savoir où il avait rendez-vous, il n'y a que trois ou quatre dentistes en ville.

— Jackie pourrait nous le dire.

— Oui, mais j'aimerais mieux qu'elle ne se doute de rien pour l'instant. Elle se ferait du souci et il n'y a probablement aucun problème : ils vont arriver en expliquant qu'ils ont eu envie de prolonger leur excursion. Je serai là-bas dans cinq minutes.

Raccrochant sans attendre de réponse, il se tourna vers sa mère.

— Maman, Jackie est en train d'accoucher. Tiens, voilà sa clé. Tu veux bien aller chez elle ? Adam et les filles auraient déjà dû rentrer, on ne sait pas ce qu'ils font. S'ils téléphonent ou s'ils arrivent, tu m'appelles sur mon portable, d'accord ?

Elle piqua son aiguille dans l'étoffe et courut rassembler ses affaires.

En entrant dans la chambre de Jackie, il fut stupéfait d'y trouver Parker Peterson, sa voisine de bureau dans le sous-sol de la mairie. Jackie reposait sur le côté, l'air épuisée, les cheveux collés aux tempes.

Voyant la surprise de Harry, Parker lui expliqua :

— Eh bien, j'étais à l'audience, comme beaucoup de ses amis...

Y avait-il un certain reproche dans sa voix ? Il ne put en être sûr. Déjà, elle l'attirait près du lit et posait la main de Jackie dans la sienne, enchaînant :

— Le massage peut beaucoup faciliter un accouchement. Si vous venez prendre la relève, je vais vous montrer ce qu'il faut faire. Elle a très mal au dos, alors regardez, il faut presser avec les jointures et le talon de la main, très progressivement, mais bien en profondeur. Renforcez la pression en appuyant avec l'autre main. Ils vont bientôt l'emmener en salle de travail. Ce ne devrait pas être trop long, les jumeaux arrivent plus rapidement que les bébés seuls. Ça va aller ?

Elle le dévisageait avec une certaine inquiétude. Sans doute était-il un peu pâle ? Une faiblesse bizarre se coulait dans ses membres, il ne savait plus pourquoi il lui avait semblé qu'il devait être ici. Il n'avait pas prévu de participer ! Si au moins il pouvait cesser de se faire du souci pour Adam et les filles…

— Ça va, oui. Si vous avez autre chose à faire, je peux prendre le relais. Je reste, de toute façon.

Jetant un regard à sa montre, elle murmura :

— J'ai bien un rendez-vous à 17 h 30…

— Allez-y, intervint Jackie. Et merci beaucoup.

— J'ai été très contente de vous soulager un peu. Je vous promets un massage gratuit pour le jour où vous reprendrez le travail. Bonne chance !

Dès que la porte se referma derrière elle, la voix lasse de Jackie demanda :

— Où est Adeline ?

— Elle est en train de faire des courses, répondit-il en répétant de son mieux les gestes montrés par Parker. Je lui ai laissé un message. Ça va comme ça ?

— Oui. Merci.

Laissant échapper un hoquet subit, elle roula sur le dos,

happa sa main au vol et la serra à lui broyer les jointures. Cela lui sembla durer plusieurs siècles. Elle haletait par à-coups. Puis la douleur sembla retomber. D'une voix faible, elle murmura :

— Tu n'es pas obligé d'être là, tu sais ? Tu n'as pas promis aux filles de m'accompagner pendant l'accouchement.

Elle essaya de retirer sa main. Il la retint.

— Je n'étais pas là pour Henry, dit-il, mais je suis là aujourd'hui.

La douleur brouillait tout. Etait-ce une promesse de soutien ou une condamnation sans appel ? Pas le temps d'analyser ou de comprendre : une nouvelle contraction l'écrasa dans un étau et, sans plus se préoccuper des raisons de Harrry d'être auprès d'elle, elle s'accrocha à lui de toutes ses forces.

S'il comptait partir dès la naissance... il partirait demain, ou le jour suivant. Un violent spasme de chagrin la saisit, elle dut faire un effort conscient pour le repousser. Ses bébés ne devaient pas venir au monde dans une ambiance aussi désespérée. Elle voulait qu'ils se sentent accueillis et choyés.

La contraction passée, ne lui resta que le mal de dos. Se laissant rouler sur le flanc de nouveau, elle sentit les mains de Harry reprendre leur massage. Elle décida de parler.

— Voilà comment ça se serait passé si nous étions restés ensemble. Je crois que nous aurions été heureux, même si nous ne pouvions pas sauver Henry.

— Nous parlerons de lui plus tard, dit-il, pressant ferme-ment de chaque côté de sa colonne vertébrale. Pour l'instant, tu dois te concentrer sur les jumeaux.

— Je veux... que tu comprennes, pour Henry.

Une nouvelle contraction. Une fois de plus, elle se cramponna à sa main pendant que la douleur la submergeait. Quelques secondes plus tard, elle refit surface.

— Harry, je veux que tu comprennes, chuchota-t-elle.

— Je comprends.

Il prit le gobelet de glace pilée posé à son chevet, l'approcha de ses lèvres. Elle vit qu'il évitait son regard.

— Ne me raconte pas d'histoires, Harry, gronda-t-elle doucement.

Il repoussa les cheveux de son front, le contact de sa main fraîche était absolument délicieux.

— Est-ce qu'on peut y revenir plus tard ? demanda-t-il. Est-ce qu'on peut se concentrer sur cette naissance ?

— Je ne veux pas qu'ils arrivent dans un monde où tu me détestes, murmura-t-elle avec un petit soupir anxieux.

— Je ne te déteste pas.

— Tu ne me pardonnes pas. C'est la même chose.

Il reposa brusquement le gobelet sur la table de chevet.

— Pas du tout !

— On entend ça tout le temps : je t'aime, mais je ne peux pas te pardonner. Ça ne tient pas debout ! Si on aime, on a le cœur ouvert et si on a le cœur ouvert, on peut pardonner.

La douleur s'abattit de nouveau sur elle, elle se sentit sombrer et écrasa la main de Harry dans la sienne. Une part seulement de sa souffrance était causée par la contraction.

Quand celle-ci se termina, elle haleta :

— Tu devrais partir.

Il lui sourit en montrant la main qu'elle serrait toujours.

— Si je partais, ce serait sans ma main.

Elle libéra sa main.

— C'est vrai. Ce n'est pas ironique, ça ? Tout ce temps où je n'arrivais pas à croire en nous, tu étais si patient, tu me laissais m'appuyer sur toi. Maintenant que c'est devenu une habitude… tout est fini.

Une poussée d'énergie galvanisa Harry. Il ne sut ni d'où elle venait, ni comment la définir, mais elle était irrésistible.

— Non ! dit-il. Non, ce n'est pas fini.

— Tu ne peux pas rester simplement…

Une nouvelle douleur l'interrompit. Les contractions étaient si proches maintenant, elle ne cessait jamais vraiment d'avoir mal. Le souffle court, luttant pour ne pas perdre le fil de sa pensée, elle bredouilla :

— Parce… parce que tu te sens obligé…

Il cherchait encore à saisir ce qui venait de changer en lui quand une infirmière entra, l'écarta avec gentillesse, fit claquer quelque chose sous le lit qu'elle roula aussitôt vers le couloir. Vers la salle d'accouchement ?

— Vous venez ? demanda-t-elle à Harry.

— Je peux ?

— Bien sûr ! Nous vous donnerons une tenue stérile et vous pourrez continuer à l'aider.

Il saisit la main de Jackie et marcha à côté du lit roulant.

Tout se termina très vite. La sage-femme l'avait prévenu qu'il y aurait sans doute un intervalle d'une vingtaine de minutes entre les bébés, mais Adam naquit à 6 h 07 et Alex à 6 h 16.

Harry les trouva minuscules, terrifiants de fragilité ; il se fit un sang d'encre jusqu'à ce qu'on les ramène après les tests de routine en l'assurant qu'ils étaient en pleine forme.

Les naissances elles-mêmes le stupéfièrent. En allant travailler pour la Nasa, en plus des satisfactions cérébrales de la science, il cherchait aussi l'émerveillement, le sens d'accomplir des choses extraordinaires, de franchir les frontières de l'inconnu. Quand il vit ces deux petits bébés nés presque un mois avant terme émerger en hurlant dans ce monde, il sut que l'émotion la plus profonde jaillissait du don le plus familier : la vie.

Il avait dû pressentir cela, tout au fond de lui. N'était-il pas revenu à Maple Hill à la recherche d'un lien affectif ? Ce qu'il ne soupçonnait pas, en revanche, c'était que sa vie restait encore, après tout ce temps, inextricablement liée à celle de Jackie. Que le seul lien qu'il désirait était celui qu'il avait noué avec elle.

Elle serrait les bébés dans ses bras et son visage vierge de tout maquillage irradiait d'une beauté irréelle. Elle leur murmurait des paroles de réconfort.

— Vos sœurs vont vous adorer, chantonnait-elle. Vous allez être affreusement gâtés, on va tellement vous aimer...

Harry ne savait comment réparer tout le mal qu'ils s'étaient fait, mais il ne se laisserait pas écarter de sa nouvelle famille. Henry comprendrait.

Prenant délicatement l'un des bébés, il le tint devant lui, scrutant le petit visage rouge et crispé, les yeux minuscules, les petits poings serrés. Le garçon protesta d'une petite voix fluette qui le frappa en plein cœur.

— Qui est-ce ? demanda-t-il.

— C'est le premier, répondit l'infirmière. Adam.

— Harry, tu veux bien appeler papa encore une fois ? demanda Jackie.

— Mon Whitcomb ! s'exclama une autre infirmière en poussant les portes battantes de la salle. Un coup de fil pour vous.

— C'est sûrement lui, dit-il en posant doucement le bébé contre le sein de Jackie. Je reviens tout de suite.

On le dirigea vers le bureau des infirmières et une aide-soignante lui tendit le combiné.

— Harry, je ne comprends pas ce qui se passe, dit la voix de Bart. Adam ne s'est pas présenté chez le dentiste pour son rendez-vous. L'Auberge m'a donné son numéro de portable, mais personne ne répond.

Harry se retourna. Tout au bout du couloir, il voyait la porte en tambour menant à l'extérieur. La nuit était tombée, il pleuvait à torrents. Voilà cinq heures qu'Adam et les filles auraient dû être de retour.

— Oh, mon Dieu…, murmura-t-il.

— Ils sont peut-être allés s'égarer dans un coin où il n'y a pas de réseau, suggéra Bart. Haley est partie pour te rejoindre, elle arrivera d'une minute à l'autre. Elle apporte des affaires pour Jackie ainsi que les petits patchworks que ta mère a faits pour les jumeaux.

Il hésita un instant, puis conclut :

— Je crois que je ferais bien d'appeler la police.

— Tu as raison. Merci, Bart, j'apprécie. Les jumeaux sont arrivés.

— Formidable ! s'écria son beau-frère avec enthousiasme. Félicitations !

Il eut une nouvelle hésitation, comme s'il se demandait si ce dernier mot s'appliquait vraiment. Pourtant, il ne le retira pas.

Lentement, Harry retourna vers la chambre de Jackie. Il entendit des éclats de voix…

Inquiet, il pressa le pas, entra en coup de vent et trouva Haley qui s'efforçait de calmer Jackie, rabattant affectueusement ses cheveux qui se hérissaient en petites piques bouclées. Jackie criait :

— Si mes filles et mon père ont disparu, je me fiche bien de la tête que j'ai !

Harry s'avança, cherchant le regard de sa sœur.

— Je suis désolée ! se lamenta celle-ci. Je voulais la rassurer en lui disant que Bart faisait tout le nécessaire, qu'elle ne devait pas s'inquiéter. Je ne savais pas que tu ne lui avais rien dit.

Cela lui aurait fait du bien de pouvoir s'en prendre à sa

sœur... De peur de se montrer injuste, il préféra se taire, se contentant d'un signe de tête rassurant. Bien entendu, la colère de Jackie se détourna de Haley pour se concentrer sur lui. Dire qu'il croyait qu'elle venait d'user ses dernières réserves d'énergie en mettant ses bébés au monde !

Haley les regarda tour à tour, murmura un dernier mot d'excuse et quitta la chambre.

— Comment as-tu osé ne pas me dire que ma famille entière avait disparu ? accusa Jackie.

— Tu étais assez occupée. Je ne voulais pas risquer...

Il chercha à prendre sa main, mais elle rabattit la sienne sèchement.

— Si on n'a aucune nouvelle de mes enfants depuis cinq heures, ça ne me gêne pas d'être interrompue ! hurla-t-elle. Tu crois peut-être que maintenant que j'ai les jumeaux, je peux oublier les filles ?

— Jackie, sois raisonnable, murmura-t-il, affolé. Tu étais en plein travail. Nous aurions pu compromettre la sécurité de...

— Ça n'avait pas d'importance !

— Comment ça, pas d'importance ? s'écria-t-il en s'énervant à son tour. Nous ne savons même pas encore s'il y a un problème et tu mettais deux nouvelles vies au monde. J'essayais juste de te protéger de...

— Ce sont mes filles ! vociféra-t-elle, les yeux noyés de larmes. Mes petites ! Mon père ! La façon dont je gérais la nouvelle pendant l'accouchement aurait dû être ma...

Elle se tut subitement et le fixa, pétrifiée.

Un silence assourdissant s'abattit sur la petite chambre. Voilà donc ce qu'on ressent quand on vous prive d'une information qu'on a le droit de connaître, pensa-t-elle, atterrée. La raison n'a pas d'importance, rien n'a d'importance à part cette sensation d'avoir été trahi parce qu'on n'a rien su. La

268

situation était très différente, mais elle comprenait enfin, avec une clarté aveuglante, pourquoi Harry ne parvenait pas à lui pardonner.

— Je cherchais seulement à te protéger.

Harry s'entendit dire cela, puis tout s'arrêta en lui. Il n'y eut plus que l'écho de la voix de Jackie, lui parlant de la naissance et de la mort de Henry, lui disant que cela faisait trop mal, qu'elle ne pouvait pas envisager de lui infliger cela puisque de toute façon il ne pouvait rien faire. Tout à coup, il comprenait comment elle avait pu faire ce choix.

Sa décision était erronée, mais elle l'avait prise parce qu'elle l'aimait.

Jackie se noyait dans un océan de détresse.

— Je suis désolée, gémit-elle en tendant les bras vers lui.

Elle sentit ses bras se refermer sur elle et s'accrocha, affamée de chaleur et de force.

— Bart a appelé la police, dit-il. Il y a probablement une explication toute simple mais au cas où…

— Je sais bien que tu pensais à moi. Et aux jumeaux. Et je regrette tellement, pour Henry !

— Chut… Tout va bien.

Il posa un baiser sur sa joue, prit sa tête sur son épaule et murmura :

— Je comprends, maintenant. Moi aussi, je regrette.

— Si jamais il s'est… passé quelque chose…, chuchota-t-elle d'une voix étranglée. Je ne sais absolument pas ce que je ferai.

— N'y pensons même pas. Tant que nous ne savons pas pour sûr…

Son téléphone portable sonna. Vite, il se redressa, le sortit de sa poche. Jackie pressait les mains sur sa bouche, le cœur au bord des lèvres. Il *fallait* que ses filles et son père soient sains et saufs. Maintenant que les jumeaux étaient arrivés...

Elle scrutait le visage de Harry. Il souriait ! Elle se remit à respirer : un grand sourire de soulagement.

— Ils viennent d'appeler chez toi. Ils sont à l'aéroport, annonça-t-il en refermant son portable.

— L'aéroport ? répéta-t-elle, abasourdie.

— Je ne sais pas ce qu'ils faisaient là-bas. Ils s'expliqueront en arrivant. Ma mère veut te voir, elle arrive tout de suite.

Elle retomba sur ses oreillers, sans forces, les mains plaquées sur son visage. Quelques larmes roulèrent sur ses joues, elle sentit la main de Harry dans ses cheveux.

— Laisse-toi aller, murmura-t-il. En un seul après-midi, tu es passée devant le juge, tu as accouché de jumeaux et tu as perdu et retrouvé ta famille. Je crois que tu as le droit de pleurer.

Elle aurait aimé lui demander ce que l'avenir leur réservait, à tous les deux, mais à cet instant une infirmière entra pour la ramener dans sa chambre. Harry la laissa pour aller téléphoner à Bart et boire une tasse de café.

Le lit roulant partit dans une direction, Harry dans l'autre.

Jackie le suivit du regard aussi longtemps qu'elle le put. Etait-ce ainsi que tout se terminerait ? Quelques instants plus tôt, ils avaient tous deux eu la révélation de ce que ressentait l'autre. Cela suffirait-il à les ramener au jour où ils planifiaient un mariage en rose ?

Ou se souviendrait-il seulement qu'il s'était mis en quatre pour l'aider pendant l'accouchement, gardant pour lui le souci de la disparition de sa famille, pour s'entendre agonir d'injures dès qu'elle avait su ?

Combien de fois se laisserait-il blesser par elle avant de décider que cela suffisait ?

16.

La chambre de Jackie était remplie de monde ; bouquets et plantes fleuries se massaient sur chaque meuble, des ballons d'hélium multicolores rebondissaient doucement au plafond. Vu sa façon plutôt publique d'entrer en travail, la commune entière était au courant de l'arrivée des jumeaux. Beaucoup de gens avaient tenu à lui faire un signe amical.

Erica et Rachel contemplaient leurs petits frères, blottis l'un contre l'autre dans le berceau transparent de l'hôpital.

— Nous étions partis dans les montagnes, expliquait Adam. Je cherchais un sentier que je connais… Sabri voulait retourner vers la civilisation pour faire les magasins, mais il me semblait que les filles avaient besoin de grand air et de conversation. Alors je lui ai promis de passer par Springfield avant de rentrer.

Il leva les yeux au ciel.

— C'est là que j'ai pris une petite route qui n'était pas la bonne et quand j'ai voulu faire demi-tour… un pneu a crevé ! J'ai immédiatement sorti mon portable pour te prévenir que nous aurions du retard et…

Adam s'éclaircit la voix.

— … Enfin, elle a un peu perdu la tête.

— Elle a arraché le téléphone de la main de pépé ! révéla Rachel, surexcitée.

Erica lui fit les gros yeux en agitant la main pour lui dire de parler moins fort. La petite s'écarta un peu du berceau et continua en baissant la voix :

— Et elle l'a lancé dans les buissons ! Elle a crié à pépé qu'il ne pensait qu'à nous et que ce qu'elle voulait n'avait aucune importance pour lui !

— Alors pépé lui a dit qu'elle était égoïste, enchaîna Erica en s'approchant à son tour, et elle lui a répondu qu'il n'était qu'un vieil imbécile. Désolé, pépé, mais c'est ce qu'elle a dit.

Adam se mit à rire.

— Je sais, je l'ai entendue. On a dû l'entendre jusqu'à Boston ! Bon, ensuite, il m'a fallu un certain temps pour changer la roue, je n'ai plus vingt ans, et encore plus longtemps pour retrouver mon chemin. Sur la route du retour, Sabri était folle de rage, elle répétait qu'elle ne resterait pas à Maple Hill une seconde de plus. Elle a exigé que je l'emmène tout droit à l'aéroport.

— Elle ne voulait même pas s'arrêter pour prendre ses bagages, ajouta Rachel. On doit les lui envoyer.

— Voilà pourquoi nous avons téléphoné de l'aéroport, conclut Adam.

Regardant sa montre, il soupira :

— Son avion a décollé, il y a une heure. Ouf ! Je croyais que ce serait formidable de sortir avec une jeunesse. En fait, le cœur sent bien ce qui lui convient, et il réclame ce qu'il veut tant qu'il ne l'a pas obtenu. Moi, je veux Maple Hill, mes petites-filles, et peut-être une sortie de temps en temps pour voir un film avec une femme que j'ai une chance de comprendre !

Il lança un grand clin d'œil à Adeline, qui trônait sur l'unique siège confortable, près de la fenêtre.

— Ah ? Et qu'est-ce qui vous fait croire que je viendrais ? répondit-elle.

Il haussa les épaules.

— On peut toujours espérer…

Perdant subitement ses airs de duchesse, elle bredouilla :

— Eh bien… il se trouve que j'aime aussi le cinéma. Mais votre appartement à Miami ?

— C'est un endroit formidable pour passer les mois de janvier et février, qui sont si pénibles ici. Ça vous plairait peut-être aussi.

Harry fut abasourdi de voir rougir sa mère.

Bart et Haley, partis charger le trop-plein de fleurs dans leur voiture, choisirent cet instant pour revenir.

Haley regarda les joues roses de sa mère avec surprise.

— Maman ? Tout va bien ?

— Très bien, oui.

— On te ramène chez toi ? proposa son gendre.

Avant qu'elle ne puisse répondre, Adam déclara avec autorité :

— Elle rentre avec nous pour aider avec les jumeaux. Je vais la conduire.

Haley croisa le regard de Harry… et s'abstint de tout commentaire. Elle alla embrasser Jackie, puis les filles.

— Très bien ! Nous rentrons à la maison. Si vous avez besoin de quoi que ce soit, appelez.

Puis elle vint serrer Harry dans ses bras avec une force inhabituelle.

Adam souleva avec précaution la dernière gerbe de fleurs.

— Je vais la mettre dans la voiture, dit-il. Puis je ramènerai Adeline et les filles à la maison et tu pourras passer une bonne nuit avant que Harry ne te ramène demain.

— Merci, papa.

— Nos frères sont craquants, chuchota Erica, de nouveau penchée sur le berceau près de Rachel.

La cadette regardait tour à tour les minuscules visages endormis.

— J'aimerais qu'ils soient à moi tous les deux.

Dans un rare moment de connivence avec sa sœur, Erica passa le bras autour de son épaule.

— Nous les avons avec nous tous les deux. Ce sont nos frères.

Emue, Adeline sourit à Jackie.

— Tu peux remercier l'Ecole du dimanche pour cette observation pleine de cœur, ma chérie ! Nous étudions la famille en ce moment.

Rachel leva la tête vers Harry, ému, qui se tenait de l'autre côté du berceau. Il aurait aimé prendre ces quatre enfants dans ses bras pour les serrer très fort. Il aurait voulu ne jamais les lâcher.

— Le monde entier est notre famille, lui dit Rachel gravement. Tu le savais ?

— Je… plus ou moins, oui, bredouilla-t-il.

— Et tout le monde, même ceux qui sont morts, font partie du même grand cercle. Ils font partie de nous, et nous faisons partie d'eux.

L'idée lui plut, et il fut stupéfait de voir que Rachel semblait réellement la comprendre.

— Ça veut dire que Henry est là aussi, ajouta Erica en tendant le bras au-dessus des jumeaux pour lui prendre la main. Tu auras toujours cinq enfants. Enfin, peut-être davantage, si toi et maman…

Incapable de trouver les mots justes, elle conclut :

— En tout cas, notre famille démarre avec cinq enfants, d'accord ?

Sa gorge se serra, sa vision se brouilla, mais il aurait juré qu'il sentait son cœur s'apaiser.

— D'accord, dit-il fermement.

En revenant quelques instants plus tard, Adam s'immobilisa sur le seuil, stupéfait de trouver Adeline et Jackie en
larmes. Il se tourna vers Harry pour l'interroger, et sembla
encore plus inquiet quand celui-ci dut s'éclaircir la gorge
avant de parler.

— Tout va bien, le rassura Harry. Je préfère vous prévenir
tout de suite : ma mère a beau essayer de régenter tout le
monde, c'est une femme très émotive. Et la journée a été
riche en émotions.

— Alors il est temps de se dire bonne nuit. Tu as fait du
bon boulot, Jackie.

Comme il se penchait pour embrasser sa fille, les petites
en profitèrent pour sauter au cou de leur mère. A son tour,
Adeline vint la serrer dans ses bras, puis fit de même pour
Harry.

— Toi aussi, tu as fait du bon boulot, lui dit-elle. Les
infirmières me l'ont dit.

— Oh, lancer des fusées ou accoucher des bébés, les
grands projets se ressemblent, il suffit de savoir ce qu'on veut,
répondit-il d'une voix nonchalante.

— Eh ! Il ne faudrait quand même pas oublier que c'était moi,
l'aire de lancement, intervint Jackie avec un petit sourire.

Adam et Adeline sortirent, les filles sautillant devant eux.
Harry s'approcha du lit.

Jackie était pâle, fatiguée. Il était temps d'y mettre bon
ordre.

Il s'assit près d'elle en l'entourant de son bras. Pendant
quelques instants, ils reposèrent en silence, adossés aux
oreillers. Elle se blottit contre lui avec reconnaissance, sans
savoir s'il s'agissait seulement de savourer la victoire après
une longue et difficile journée, ou de se rejoindre enfin, deux
êtres prêts à s'embarquer pour un avenir en forme de couple.
Le gouffre était tout proche, il avait le pouvoir de briser tous

ses espoirs, et pourtant sa présence tout contre elle était un merveilleux réconfort.

— J'ai cru comprendre que tu avais une envie de vacances aux Bermudes, murmura-t-il à son oreille.

Elle sentit son cœur battre plus vite.

— Comment sais-tu ça ?

— Erica me l'a dit. Tu devrais l'entendre t'imiter quand tu es stressée. Je me disais qu'on pourrait y aller au mois de juin.

Redoutant encore de sauter à des conclusions trop hâtives, elle demanda :

— Qui donc ?

— Toi, moi, les enfants, et Glory pour aider à les surveiller. Tu crois qu'elle accepterait de venir ?

Elle se redressa à demi et se tourna vers lui pour le contempler. Celui qu'elle avait toujours aimé cherchait-il à lui dire que le mariage pourrait encore avoir lieu ?

— Est-ce que tu parles d'une… lune de miel ? demanda-t-elle d'une toute petite voix.

— Non.

Ce simple mot, prononcé d'une voix ferme, faucha toutes ses espérances l'espace d'une seconde, avant que Harry ne précise avec un grand sourire :

— Pour la lune de miel, nous partirons seuls, rien que tous les deux. Peut-être une semaine à l'automne, quand les garçons pourront plus facilement se passer de toi. Je nous verrais bien dans une jolie auberge tranquille, quelque part dans les Berkshire. Des jours et des jours sans quitter notre chambre. Non, les Bermudes, ce seraient des vacances en famille. Les mois à venir vont être très éprouvants, et nous aurons tous besoin d'un peu de soleil et de sable d'ici à l'été.

Elle le fixa, lèvres entrouvertes, emportée par un boule-versement de tout son être. L'amour envahissait le monde, remplissait chaque fêlure, chaque recoin. Nouant les bras autour de son cou, elle l'étreignit avec une force toute neuve. Ces dernières années avaient été si arides et si sombres que ce premier instant d'amour partagé la réchauffa comme si elle se reposait déjà sous le soleil des Bermudes.

— Je t'aime, souffla-t-elle.

Un chagrin subit la transperça. Henry n'était pas là avec eux pour partager leur bonheur. Surprise par la violence de son émotion, elle ouvrit la bouche pour l'exprimer quand Harry posa les doigts sur ses lèvres.

De l'autre main, il tapota sa propre poitrine.

— Je l'ai là, chuchota-t-il. Nous l'aurons toujours avec nous. C'est Erica qui l'a dit. Tous reliés dans un grand cercle. Et regarde la famille que nous avons maintenant. Nous allons être tellement heureux !

Prenant doucement sa tête entre ses mains, il la pressa sur sa poitrine.

— Moi aussi, je t'aime. Nous pouvons nous marier le week-end prochain si tu veux.

Elle le serra de nouveau, très fort, et son chagrin se fondit dans un immense bonheur.

— D'accord. Il serait plus que temps que ce soit officiel.

— Parfait ! Alors, puisque tout est réglé, je vais demander à madame le maire de publier les bans. Et comme je l'ai sous la main, ou plutôt dans les bras, je crois que tout cela va se faire très vite.

Jackie éclata de rire et son rire se fondit dans le baiser que lui donna Harry avec toute la passion retenue en lui pendant dix-sept ans.

Chère lectrice,

Vous nous êtes fidèle depuis longtemps?
Vous venez de faire notre connaissance?

C'est pour votre plaisir que nous avons
imaginé un rendez-vous chaque mois
avec vos auteurs préférés, vos
AUTEURS VEDETTE dans les
collections Azur et Horizon.

Les AUTEURS VEDETTE vous
donneront rendez-vous pour de
nouveaux livres vedette.

Pour les reconnaître, cherchez
l'étoile ... Elle vous guidera!

Éditions Harlequin

HARLEQUIN

LE FORUM DES LECTEURS ET LECTRICES

CHERS(ES) LECTEURS ET LECTRICES,

VOUS NOUS ETES FIDÈLES DEPUIS LONGTEMPS?

VOUS VENEZ DE FAIRE NOTRE CONNAISSANCE?

SI VOUS AVEZ DES COMMENTAIRES, DES CRITIQUES À
FORMULER, DES SUGGESTIONS À OFFRIR, N'HÉSITEZ
PAS… ÉCRIVEZ-NOUS À:
        LES ENTREPRISES HARLEQUIN LTÉE.
        498 RUE ODILE
        FABREVILLE, LAVAL, QUÉBEC.
        H7R 5X1

C'EST AVEC VOS PRÉCIEUX COMMENTAIRES QUE NOUS
ALLONS POUVOIR MIEUX VOUS SERVIR.

DE PLUS, SI VOUS DÉSIREZ RECEVOIR UNE OU
PLUSIEURS DE VOS SÉRIES HARLEQUIN PRÉFÉRÉE(S)
À VOTRE DOMICILE, NE TARDEZ PAS À CONTACTER LE
SERVICE D'ABONNEMENT; EN APPELANT AU
(514) 875-4444 (RÉGION DE MONTRÉAL) OU 1-800-667-4444
(EXTÉRIEUR DE MONTRÉAL) OU TÉLÉCOPIEUR
(514) 523-4444 OU COURRIER ELECTRONIQUE:
AQCOURRIER@ABONNEMENT.QC.CA OU EN ÉCRIVANT À:
        ABONNEMENT QUÉBEC
        525 RUE LOUIS-PASTEUR
        BOUCHERVILLE, QUÉBEC
        J4B 8E7

MERCI, À L'AVANCE, DE VOTRE COOPÉRATION.

BONNE LECTURE.

HARLEQUIN.

VOTRE PASSEPORT POUR LE MONDE DE L'AMOUR.

ROUGE PASSION

De fiévreuses histoires d'amour sensuelles!

De provocantes histoires d'amour passionnées et romantiques qu'on lit d'une seule traite. Aventureuses, parfois humoristiques, et sensuelles, elles mettent en vedette des hommes et des femmes d'aujourd'hui.

ROUGE PASSION... trois nouveaux titres chaque mois.

<u>COLLECTION HORIZON</u>

Des histoires d'amour romantiques qui vous mènent au bout du monde!

Découvrez la passion et les vives émotions qu'apportent à la Collection Horizon des auteurs de renommée internationale!

Captivantes, voire irrésistibles, ces histoires d'amour vous iront assurément droit au coeur.

Surveillez nos trois nouveaux titres chaque mois!

HARLEQUIN

Lisez Rouge Passion pour rencontrer L'HOMME DU MOIS!

Chaque mois, vous rencontrerez un homme **très sexy** dans la série Rouge Passion.

On peut distinguer les livres L'HOMME DU MOIS parce qu'il y a un très bel homme sur la couverture! Et dedans, vous trouverez des histoires écrites selon le point de vue de l'homme et de la femme.

Les livres L'HOMME DU MOIS sont écrits par les plus célèbres auteurs de Harlequin!

Laissez-vous tenter avec L'HOMME DU MOIS par une histoire d'amour sensuelle et provocante. Une histoire chaque mois disponible en août là où les romans Harlequin sont en vente!

RP-HOM-R

69 L'ASTROLOGIE EN DIRECT
TOUT AU LONG
DE L'ANNÉE.

(France métropolitaine uniquement)
Par téléphone 08.92.68.41.01
0,34 € la minute (Serveur JET MULTIMÉDIA).

Composé et édité par les
éditions Harlequin
Achevé d'imprimer en avril 2006

BUSSIÈRE
GROUPE CPI

à Saint-Amand-Montrond (Cher)
Dépôt légal : mai 2006
N° d'imprimeur : 60601 — N° d'éditeur : 12039

Imprimé en France